Marta y María

Marta y María

por

Armando Palacio Valdés

Edited by
EDITH B. SUBLETTE
Professor of Romance Languages DEPAUW UNIVERSITY

THE ODYSSEY PRESS · *New York*

A 0 9 8 7 6 5 4 3 2

To Mother, Frances, and Lawrence

Preface

In editing *Marta y María* by Armando Palacio Valdés, I have footnoted all vocabulary over the first one thousand words and groups one and two of the basic idioms and phrases of Hayward Keniston's *Standard List of Spanish Words and Idioms*, except for obvious cognates. The exercises on cognates will aid the student to recognize words which are similar in Spanish and English. The questions and other exercises provide further drill on idioms, vocabulary, and content. The vocabulary has been simplified so that the text may be used after all the verb tenses have been learned. There are, however, footnotes on irregular imperfect subjunctive forms used in the first four chapters. The book may be read in the first semester of the second year of college Spanish or at the end of the second year in high school. Some college teachers will also find it useful in the second semester of the first year.

I wish to express my sincere gratitude to Dr. Agapito Rey of the Department of Spanish and Portuguese at Indiana University for his careful reading of the entire manuscript. His suggestions were most helpful.

E. B. S.

The Life of Armando Palacio Valdés

Armando Palacio Valdés was born in Entralgo, Asturias on October 4, 1853 and died in Madrid February 3, 1938. He was educated at Oviedo and Madrid, where he specialized in jurisprudence and political economy. He married Luisa Maximina Prendes and had one son, Armando.

His style is simple and fluid, yet artistic and polished. He is a fine observer and delineator of characters created from life. Although the women characters are stronger, the men are not weak. A lover of natural beauty, he did not idealize, but was sincere and neither pessimistic nor optimistic in his outlook. His descriptions of the ordinary events of life are outstanding. His humor and irony are gentle and reserved.

El señorito Octavio, his first novel, appeared in 1881. *Marta y María* in 1883, his masterpiece, achieved a popular triumph and assured him a prominent place as the Spanish leader of the modern school of psychological novelists. Among his other works are: *Riverita*, *La Hermana San Sulpicio*, *Maximina*, *El Cuarto Poder*, *La Espuma*, *La Fe*, *José*, *Los Majos de Cádiz*, *La Aldea Perdida*, *La Novela de un Novelista*, and *La Hija de Natalia*.

Brief Historical Background of Marta y María

The nineteenth century was a turbulent period in the history of Spain, with civil wars and many changes of government. The first Carlist War began when Isabel II became queen in 1833 at the death of her father Fernando VII. The latter had abolished the Salic law so that a woman could inherit the throne. She was, however, only three years old at the time, and her mother, María Cristina, ruled as regent. With the Glorious Revolution of 1868, Isabel II, who had been supported by the liberals, was deposed. Two years later Don Carlos, her uncle, asserted his claim to the throne with clerical support as Carlos VII. In the civil war, Don Carlos was defeated and fled to France, but returned after the proclamation of the First Republic. The Republic lasted only from 1873 to 1874, when the Bourbon line was restored and Alfonso XII, Carlos' cousin, became the ruler. The Carlist party was swept out of Spain, and Don Carlos became a wanderer until he died in Italy in 1909.

Contents

Marta y María

MAJOR CHARACTERS

Don Mariano de Elorza — age 60. Father of Marta and María.

Doña Gertrudis — age 45. Wife of don Mariano and mother of Marta and María.

Marta de Elorza y Valcárcel — age 13 or 14.

María de Elorza y Valcárcel — age 16.

Ricardo, marqués de Peñalta — age 18.

Don Máximo — physician.

Genoveva — age 40. Personal maid of María.

Don César Pardo — President of Carlist council of Nieva.

MINOR CHARACTERS

Carmen — servant of Elorzas.

Isidorito.

The three sisters de Delgado.

The two señoritas de Merino.

Bonifacio de Merino.

La Señorita de Mory.

La Señora de Ciudad and her six daughters.

Don Serapio.

A skipper; Manuel, sailor; Commander Ramírez, Chief of Police; soldiers, a captain, lieutenant; Commander General; Military Governor; civil guards, inspector of police, prisoners, officials of the council, and an orderly.

1 *Desde la Calle*

Dentro del soportal [1] había mucha gente. La noche era obscura como pocas. Los curiosos de Nieva hablaban unos con otros, pero de pronto volvía el silencio porque querían oír la música de la casa. La noche no era de las más agradables [2] de otoño. 5

En la calle había poca gente porque estaba cayendo una lluvia [3] fría. Sólo unas cuantas [4] personas permanecieron allí.

Los balcones [5] de la casa de Elorza se hallaban abiertos, dejando salir la luz de allí. Eso hacía aún más triste la 10 noche obscura y húmeda [6] del exterior.

La casa de Elorza era la primera de una calle larga y adornada [7] por ambos lados del soportal como casi todas las del pueblo de Nieva. Su fachada [8] más importante daba,[9] pues, a esta calle; pero tenía otra con balcones 15 a la plaza del pueblo que era grande y hermosa como la de una ciudad. El edificio es de piedra y de un solo piso con espacioso [10] soportal sin ornamento. Se puede decir que aquella casa había sido construida [11] por una persona principal para su exclusivo uso. Sus proporciones 20 no podían ser más elegantes y correctas. La casa era amable y algo aristocrática.

[1] portico, arcade
[2] pleasant
[3] rain
[4] a few
[5] balconies, balconied windows
[6] wet
[7] decorated
[8] front
[9] faced
[10] spacious, large
[11] constructed

Entre las sombras brillaba a veces el fuego de un cigarro. Una tienda estaba abierta todavía. En el piso principal de la misma casa los balcones seguían abiertos. Por ellos salían voces. Al fin una voz clara
5 sonó en la plaza como el eco del cielo. Los grupos de curiosos estaban contentos.

— Es María — dijeron tres o cuatro, esperando que no los oyese [12] nadie.

— ¡Ya era tiempo!

10 — Ésta sí que canta divinamente. ¡Olé! [13] y no el otro animal de la fábrica de conservas [14] — exclamó un tercero todavía más indiscreto.

— ¡Tengan ustedes la bondad de [15] callarse, señores, para que podamos oír! — gritó una voz irritada.[16]

15 — ¡Que se calle ése!

— ¡Fuera!

— ¡Silencio!

— ¡Siempre he dicho que no hay gente peor educada [17] que la de este pueblo! — volvió a exclamar la voz.

20 — ¡Cállese usted!

— ¡No sea usted estúpido, hombre!

— ¡Chis, chiis, chiis! [18]

Al fin callaron todos y pudo oírse la ardiente melodía de Verdi. La voz femenina que salía por los balcones
25 vibraba [19] con fuerza por la plaza, e iba a perderse en el pueblo. Ella cantaba bien y su voz llegaba hasta lo profundo [20] del alma.

Seguía lloviendo.[21] Después cerraron los balcones de la casa. Las personas en la calle volvieron a sus casas
30 o entraron en el café de la Estrella.[22]

[12] imperfect subjunctive of *oír*
[13] bravo
[14] canning factory
[15] please
[16] irritated
[17] educated, mannered
[18] hush
[19] vibrated
[20] the depths
[21] raining
[22] star

EXERCISES

I. Supply the Spanish for the words in italics and translate:

1. (*Within*) el edificio (*there were*) pocas personas.
2. Los hombres (*were talking with one another*) cuando (*they entered*) el café.
3. Los balcones (*were open*), y (*at times*) se podía oír la música.
4. La casa de piedra (*had been constructed*) por el señor Elorza.
5. Él temía que yo (*would hear him*) desde la calle.
6. ¡Que se calle! (*again exclaimed*) la voz.
7. (*It is raining*) y la noche es muy obscura.

II. Answer in Spanish:

1. ¿Qué es un soportal?
2. ¿Por qué había poca gente en la calle?
3. ¿Qué mes del año es?
4. Describa la casa de los Elorza.
5. ¿Cuántos pisos tiene esta casa?
6. ¿Quién canta?
7. ¿Cantó bien la voz que se oía desde la calle?
8. ¿Es bien educada la gente de este pueblo de Nieva?
9. ¿Qué melodía se cantó?

VOCABULARY BUILDING STUDY

Learn to recognize cognates which are exactly the same in Spanish and English, such as the following: *cordial*, *interior*, *exterior*, *ardor*, *unión*, *ángel*, *cruel*, *terrible*, *horrible*, *religión*, *glacial*, *sofá*, *diván*, *miserable*, *piano*, *ideal*, *habitual*, and *plaza*.

In other cognates, it is necessary to change only a few letters to have the English word. The Spanish noun ending of *–ción* becomes *–tion* in English. Note the following: *re-*

lación, *decepción*, *posición*, *situación*, *dirección*, *operación*, *resignación*, *salvación*, *conversación*, *separación*, *vacaciones*, *selecciones*, *admiración*, *satisfacción*, and *aplicación*.

2 La Fiesta de los Señores de Elorza

—¡Qué lástima, Isidorito, que usted no hubiese estudiado [1] para médico! ¡No sé por qué se me figura que sería un buen médico!

El joven era feliz.

—Doña Gertrudis, me honra usted [2] demasiado: no tengo otro mérito que el de fijarme bien en lo que traigo entre manos [3] lo cual me parece de absoluta necesidad en cualquier carrera que se siga.

—Tiene usted muchísima razón. Lo primero es fijarse en lo que se tiene delante y no andar pensando en otros asuntos. Y si no, aplique [4] la historia a don Máximo. No se le puede negar mucha sabiduría [5] y buen deseo, pero tiene la desgracia de no fijarse en nada de lo que le dicen, y por eso no puede acertar. ¡Usted no sabe lo que he sufrido! ¡Que Dios no le tome en cuenta el mal que me ha hecho! Mi marido le quiere mucho . . . y yo también, no vaya usted a creer . . . En medio de todo es buen sujeto, y hace veinticuatro años que entra en casa; pero hay que decir la verdad aunque sea difícil; el pobre señor tiene la desgracia de no fijarse . . . de no fijarse poco ni mucho.

—Exacto, exacto. A don Máximo le falta, a mi juicio, el poder de observación.

[1] pluperfect subjunctive, formed by the imperfect subjunctive of *haber*, plus the past participle
[2] you honor
[3] I have in hand
[4] apply
[5] wisdom

— La verdad es, Isidorito, que a mí no acaba de entenderme. Ayer pasé todo el día con un ruido en la cabeza. Envié por don Máximo, pero hasta la noche no vino. Le digo a usted que pasé un día cruel, y que 5 si mi hija Marta no hubiera estado allí para ayudarme, me hubiese muerto sin remedio, porque don Máximo no vino a verme. Y ya ve usted que estoy como el primer día ... ¡Lo mismo que el primer día! Una enfermedad [6] en todo el cuerpo ... Un ruido en los oídos ... 10 Usted sabe tanto, ¿no sabría lo que es este ruido en los oídos?

— Señora, yo creo ... ejem ... que esa enfermedad es de un estado puramente nervioso.

Doña Gertrudis, esposa del señor don Mariano Elorza, 15 dueño de la casa en que nos hallamos, está sentada en un sillón al lado de Isidorito. Aunque no pasaba de [7] cuarenta y cinco años de edad, representaba casi tantos como su marido, que tenía sesenta.[8] Su rostro era de singular blancura, y tenía los cabellos [9] entre rubios [10] 20 y blancos. Los ojos azules y tristes.

— Me mata, me mata este ruido en los oídos. No puedo comer, no puedo dormir.

— Creo que debiera [11] usted permanecer en la cama.

— Es peor, Isidorito, es peor. En la cama no puedo 25 cerrar los ojos. Estoy mucho más enferma de lo que se cree. Ya se verá cómo esto tiene mal fin. Hoy me encuentro tan nerviosa, tan nerviosa ... Tómeme usted el pulso, Isidorito.

Al sacar la mano y dársela al joven, don Mariano y 30 don Máximo, que hablaban animadamente en una parte de un balcón, dirigieron la vista hacia allí y sonrieron.

— Ya tiene un nuevo médico de familia — dijo don Máximo.

[6] illness
[7] did not exceed
[8] was sixty years old
[9] hair
[10] blond
[11] should, ought

— ¡Bah, bah, bah!... Estos días anda furiosa con usted, y dice que se va a morir sin que usted haga caso de ella. Ya la encuentro mejor que nunca... Pero vamos a ver,[12] don Máximo, ¿usted cree de buena fe que podamos aceptar el plan de Miramar? 5

— ¿Y por qué no?

— ¿No comprende usted que nos perdemos para siempre?[13]

— Don Mariano, me parece que está usted ciego. Lo que importa a Nieva es tener ferrocarril[14] pronto, 10 pronto, pronto.

— Lo que le importa a Nieva es tener ferrocarril bueno, bueno, bueno.

Don Mariano era un hombre gordo, alto, con barba[15] y cabellos blancos; aquélla muy crecida. Sus ojos 15 negros brillaban como los de un joven.

— Si a esto dice usted que tarde o temprano[16] tendremos un buen puerto,[17] ya esté en el Moral o en el mismo Nieva, porque la guerra no ha de durar eternamente ni el Gobierno ha de dejarnos reducidos siempre 20 a esta condición, ya verá usted qué vuelo[18] toma en un instante el comercio del pueblo.

— Bien, bien: supongo que el plan de Sotolongo es bueno; pero usted bien sabe que por ahora ni en mucho tiempo no hay que pensar en él, mientras que[19] el de 25 Miramar lo tenemos en la mano. El Gobierno está profundamente interesado en ello, porque no hay otro medio de dar protección a nuestra fábrica de armas. Ya comprende usted que si los carlistas[20] llegasen[21] a romper la línea de Somosierra,[22] entrarían aquí como Pedro por 30 su casa, tomarían las armas que desearan, harían inútil la fábrica, y podrían marcharse por el valle[23] de Cañedo

[12] let's see
[13] forever
[14] railroad
[15] beard
[16] sooner or later
[17] port, harbor
[18] flight
[19] while
[20] party of don Carlos, pretender to the throne
[21] imperfect subjunctive of *llegar*
[22] northeast ridge of Sierra de Guadarrama in central Spain
[23] valley

sin peligro. Por ahora [24] no hay cuidado [25] que rompan la línea, ya lo sé pero ¿quién puede asegurar lo que sucederá con el tiempo? Además, ¿no puede llegar un día en que el mismo elemento carlista que aquí tenemos
5 levante la cabeza? Pues si hubiese ferrocarril, cualquiera que él fuese,[26] nada más fácil que poner aquí en dos horas cuatro o cinco mil hombres . . .

Don Mariano, antes de responder, buscó algo en todos los bolsillos de la ropa, y no hallando lo que buscaba,
10 dirigió la vista hacia Martita.

— Martita, ven acá.

Una niña que estaba sentada en un diván, sin hablar con nadie, llegó corriendo. Podría tener trece o catorce años, se vestía de corto.[27] Era blanca, con ojos y ca-
15 bellos negros, mas su rostro no ofrecía la expresión provocativa que suele tener esta clase de rostro. Era bonita. Faltaba a aquella belleza,[28] sin embargo, algo para animarla. Era lo que se llama un rostro frío.

20 — Oye, hija mía; ve a mi cuarto, abre el segundo cajón de la izquierda de la mesa de escribir, y tráeme el tabaco.[29]

La niña se marchó de prisa [30] y no tardó en volver con él.

25 — Vamos a fumar [31] al comedor [32] — dijo don Mariano tomando a don Máximo del brazo.

Y ambos salieron del salón por una de las puertas.

Marta volvió a sentarse en el mismo sitio.

Pocas veces había presentado el salón de los señores
30 de Elorza aspecto tan brillante. Todos sus divanes de

[24] for the present
[25] there is no danger
[26] imperfect subjunctive of *ser*
[27] was wearing a short dress
[28] beauty
[29] tobacco
[30] fast
[31] to smoke
[32] dining room

damasco estaban ocupados por señoras ricamente vestidas, con los brazos y el pecho al aire.[33] Marta tenía frente a sí a las señoras de Delgado; tres hermanas. Todas pasaban de los cuarenta. Cerca de ellas estaba la señorita de Mory de ojos negros maliciosos, muy rica. Un poco más allá [34] la señora de Ciudad durmiendo hasta que llegaba la hora de recoger a sus seis hijas. Allá su hermana María hablaba con un joven. Los ojos de la niña miraban de un sitio a otro lentamente.[35] La música le interesaba poco. Parecía estar segura de no ser observada por nadie, y su rostro tenía la expresión glacial e indiferente del que se encuentra solo en su cuarto.

Los caballeros estaban en pie [36] a la puerta del gabinete [37] y del comedor, mirando los brazos y los pechos que ocupaban los divanes. Otros estaban cerca del piano esperando que un momento de silencio les diese [38] tiempo para expresar su admiración.

Doña Gertrudis se había dormido [39] profundamente en el sillón. Isidorito se levantó silenciosamente y se acercó a la puerta. Desde allí comenzó a mirar a la señorita de Mory. Isidorito había amado a la señorita de Mory desde hacía mucho tiempo.

Pero la señorita de Mory tenía por costumbre sonreír a todo el mundo menos [40] a Isidorito.

El pianista terminó su sinfonía.[41] Las conversaciones cesaron de pronto. Todos exclamaron: «¡Muy bien, muy bien!» Nadie le había escuchado. Un joven le obligó a tocar un vals-polca.[42]

— Es mazurca, ¿verdad?

[33] bare
[34] farther over, beyond
[35] slowly
[36] standing
[37] sitting room
[38] imperfect subjunctive of *dar*
[39] fallen asleep
[40] except
[41] symphony
[42] waltz-polka

— No; es vals-polca.

— ¿Cómo vals-polca?

— ¿No lo estás oyendo?

— ¡Ah, sí, es verdad! ¡Pues, señor, ese pianista no permite que yo baile [43] con Rosario esta noche! [44]

Todos parecían nerviosos como si fuesen a entrar en fuego. Los más atrevidos salieron con paso rápido al medio de la sala y se acercaron a las jóvenes. Cuando la señorita invitada se levantaba para danzar,[45] empezaban a sentirse dueños de sí mismos.

Casi todos los jóvenes comenzaron a danzar. Marta permaneció sentada. Dos o tres jóvenes habían venido a invitarla, pero les contestó que no sabía bailar. El motivo verdadero de la negativa era que a su padre no le gustaba que empezase tan niña a figurar en sociedad. Quedóse, pues, mirando cómo daban vueltas [46] los demás. Sus grandes ojos negros miraban a los jóvenes que por delante de ella cruzaban. Algunas parejas [47] le interesaban más que otras, y las seguía con la vista. Marta cerraba a veces los ojos.

Al fin dejó de sonar el piano. Antes de sentarse, las muchachas se pasearon unos momentos por el salón. El pianista recibía las gracias. Al cabo las muchachas fueron sentándose en sus sitios, y los jóvenes se marcharon de nuevo hacia las puertas.

Un joven quería que don Serapio cantase.

— Sí, sí, que cante don Serapio.

— Que cante don Serapio, que cante don Serapio.

— ¡Señores, por Dios! Tengo un resfriado.[48]

— De todos modos cantará usted bien, don Serapio.

— Mil gracias, señoras, mil gracias. Quisiera [49] poseer

[43] dance
[44] tonight
[45] to dance
[46] walked back and forth
[47] couples
[48] cold
[49] imperfect subjunctive of *querer*

en este momento la voz de un ángel, porque los ángeles sólo deben escuchar a los ángeles.

— A cantar, a cantar, don Serapio.

— ¡Pero si no puedo hacerlo bien ahora!

Don Serapio se hizo de rogar [50] todavía algún tiempo. 5
Por fin se fué acercando al piano.

— Don Serapio, va usted a cantar . . . va usted a cantar . . . la romanza *Lontano a te*.[51]

— ¡Oh, por Dios! [52] Es demasiado sentimental, y estas señoras no están ahora por el romanticismo [53] . . . 10

El pianista comenzó. Don Serapio cantaba. Pasaba de los cincuenta años. Era fabricante de conservas,[54] y pensaba que el matrimonio era la muerte del amor y sus ilusiones.

La voz de don Serapio era poquita y mala. 15

Mientras el fabricante de conservas expresaba en italiano el dolor de hallarse lejos de su amada, la hija mayor de los señores de la casa seguía conversando en la parte más retirada de la sala con un joven de cara abierta y simpática.[55] Era moreno,[56] de ojos negros y 20 con bigote.[57]

— Enrique no entendió bien mi deseo — decía el joven.
— Yo le pedía que me enviase un aderezo [58] de valor y lo que me manda no es muy bonito, tanto que pienso devolvérselo [59] mañana sin mostrártelo siquiera. 25

— No te molestes más; es igual [60] uno u otro.

— ¡Cómo ha de ser igual! ¿Desde cuándo, señorita, se ha vuelto [61] usted tan indiferente en asuntos de ves-

[50] liked to be coaxed
[51] aria "Far from Thee" (*Italian*)
[52] for Heaven's sake!
[53] romanticism, style of writing which emphasizes imagination and individualism. A product of the early nineteenth century, it represented a reaction against classicism.
[54] canner
[55] likable
[56] dark
[57] mustache
[58] set of jewels
[59] return
[60] it makes no difference
[61] become

tido? Estoy seguro de que si te trajera [62] el dichoso [63] aderezo reirías mucho.

— No lo creas.

— ¿Te figuras acaso que no recuerdo lo que has dicho 5 del sombrero que tu tía Carmen te dió hace pocos días?

— Hice mal; pero tú haces también mal en recordármelo. La verdad es que, en fin, no importa un sombrero o un aderezo más que otro.

— ¡Claro! [64] El aderezo se devolverá y en su lugar 10 vendrá otro a mi gusto y al tuyo . . . Dejemos el aderezo . . . Algo tenía que decirte y ya no recuerdo . . . ¡Ah, sí! es necesario que escribamos a tu tío Rodrigo, pues según la carta que de él recibí hoy, no sabe todavía el día en que nos casamos. Creo que debemos escribirle 15 los dos en una misma carta, ¿no te parece?

— Como tú quieras.

— Bien, pues mañana, antes de comer, vendré aquí, y lo haremos.

Ambos callaron algunos instantes y escucharon la 20 canción de don Serapio.

— ¡Qué tonto es este don Serapio!

— No seas malo, Ricardo.

— No, lo que es por mí ya puede cantar todo lo que quiera . . . Pero observo, niña, que te has vuelto muy 25 moralista desde hace algún tiempo. ¿Tratas de competir [65] con el cura?

— Lo que trato es de que seas mejor. Si me quieres tanto como dices, no debían ofenderte mis consejos.

— No me ofenden; todo lo contrario, los escucho 30 siempre con gusto y los sigo . . . cuando puedo. En fin, tiempo te queda para darme lecciones a tu gusto, ¿verdad? Puedes sermonearme [66] desde Nieva hasta Ma-

[62] imperfect subjunctive of *traer*
[63] blessed, confounded
[64] of course!
[65] compete
[66] lecture, reprimand

drid, después de Madrid hasta París y desde París a Milán y desde Milán a Venecia y después hasta Roma y Nápoles, y otra vez de vuelta [67] por Ginebra,[68] Bruselas, París y Madrid hasta casa. ¡Con qué gusto iré escuchándote por todos esos países extranjeros! ¿Qué 5 te parece nuestro viaje?

— Bien.

— ¡Bien, bien! Eso no es decir nada. ¡No parece sino que [69] el asunto no te interesa tanto como a mí! El mismo interés tengo en ir a París y Roma que a 10 Berlín o a Londres.[70] ¡Figúrate lo que me importará, yendo contigo, viajar [71] por un lado o por otro!

— Lo que tú decidas estará bien.

— ¿Te gusta el viaje que te propongo, sí o no?

— Ya te he dicho que sí. 15

— Pero, hija, ¿qué tienes? [72] En toda la noche no he podido hacerte sonreír una vez siquiera, ni pronunciar más que las palabras necesarias. ¿A qué viene [73] esa gravedad? ¿Estás irritada?

— ¿Por qué había de estarlo? 20

— Eso pregunto yo, ¿por qué? Lo cierto es que lo estás.

— Te respondo como siempre.

Ricardo miró en silencio a su novia, que separó la vista [74] fijándola en don Serapio. 25

— Podrá ser, pero no lo veo claro. Si realmente estuvieses [75] irritada, harías mal en no decirme el motivo, para reparar mi falta, si por acaso la hubiese hecho. La conciencia no me acusa de nada.

— Te digo que no estoy irritada. 30

Ricardo la miró otra vez largamente.

[67] on returning
[68] Geneva
[69] but
[70] London
[71] travel
[72] what is the matter with you?
[73] What's the reason for
[74] withdrew her glance
[75] imperfect subjunctive of *estar*

— Bueno, bueno . . . es mejor así . . . Yo creía, sin embargo . . .

Ambos guardaron silencio un rato. Ricardo lo rompió diciendo:

5 — Cuando acabe don Serapio, te van a hacer cantar a ti; estoy seguro . . . Todos ganarán en ello menos yo . . .

— ¿Pues?

— Por dos razones: la primera porque todo lo que 10 gozo oyéndote cuando estamos en familia, me disgusta cuando cantas en público; la segunda porque van a separarte de mí.

— No sé por qué te disgusta que cante en público. A mí es a quien disgusta . . . y mucho. Lo de la sepa- 15 ración es una tontería, porque estamos juntos mucho más tiempo de lo que debiéramos.

— Es largo de explicar y difícil el por qué no me gusta que cantes en público. Lo de la separación, aunque lo creas tontería, es la pura verdad. No im- 20 porta cuánto estemos juntos, aún me parece poco. Quisiera que lo estuviésemos todas las horas del día. En un hombre que se va a casar dentro de mes y medio no creo que tenga mucho de particular este deseo.

Y bajando la voz dijo:

25 — Siempre quiero estar a tu lado, vida mía. Cuando estoy cerca de ti, pienso que ni en el cielo estaría tan bien; cuando estoy lejos, pienso que estaría mejor junto a ti. Esto es una garantía [76] de que nunca nos cansaremos el uno al lado del otro, ¿no es verdad? . . . 30 Recuerdas cuando un día en el jardín de casa, teniendo tú ocho años y yo diez, mi pobre mamá nos hizo cogernos de la mano diciéndonos gravemente: «¿Queréis ser marido y mujer? . . . Pues, daos un beso y no os irritéis

[76] guarantee

más.» Desde entonces nunca pensé que podía casarme con otra mujer más que contigo.

María no respondió.

— ¿Sabes una cosa?

— ¿Qué?

— Que han venido también las cajas con tus vestidos, pero aún no las he abierto. Las dos tienen tu monograma con corona de marquesa.[77] Me pareció que ya estábamos unidos, que no había que esperar estos cuarenta y cinco días. No sé lo que daría si hoy fuese el último de diciembre. Dime, feísima,[78] ¿no tienes deseos de llamarte la marquesa de Peñalta, de ser mía, mía para siempre?

María se levantó del diván y con expresión de desprecio,[79] sin mirar a su novio, respondió:

— Así, así.

Y fué a sentarse cerca de una de las señoritas de Ciudad. Ricardo se quedó algunos instantes en la silla sin mover siquiera un dedo. Después se levantó de pronto y salió de la sala.

Don Serapio, al fin, terminó.

Entonces dijo un joven:

— Señores, yo creo que ya es hora de que escuchemos a la gran artista . . . Todos esperamos que María nos proporcione [80] . . . uno de esos momentos felices . . . que otras veces nos ha proporcionado . . . ¿verdad?

— Eso es: que cante María.

— Sí, cantará, porque es muy amable.

El joven fué a dar el brazo a la señorita de la casa y la trajo hasta el piano.

Cuando María quedó sola y en pie frente a la tertulia,[81] produjo como siempre un sentimiento de ad-

[77] crown of marquise
[78] ugly girl, *but used as a term of endearment*
[79] scorn
[80] provide, give
[81] party, gathering

miración: «¡Qué hermosa, qué hermosa! — ¡Esta chica cada día es más bonita! — ¡Qué gusto tiene para vestirse! — ¡Parece una reina!» [82] — Éstas y otras muchas frases fueron las que se dijeron al oído los de la tertulia 5 de los señores de Elorza.

Sin ser muy alta, era majestuosa.[83] Era delgada [84] y elegante como las bellas señoras del Renacimiento [85] que los pintores italianos escogían para modelos. La línea de su cuello recordaba las estatuas griegas.[86] Este cuello 10 sostenía una cabeza rubia, de rostro blanco, fino, correcto, transparente, con labios rojos y ojos azules. Semejaba notablemente al de doña Gertrudis, pero tenía una expresión persuasiva e insinuante [87] que jamás había mostrado el de aquella famosa señora.

15 — Ya verá usted qué modo de cantar tiene esta chica — dijo una señora.

— Me alegro.[88]

— ¡Oh, María es profesora! [89]

— Lo que reconozco por ahora es que tiene una figura 20 preciosa.

— ¡Pues cuando usted la oiga! . . .

— Esa chica lo hace todo bien. ¡Si viera usted cómo pinta!

— ¿No tienen más hija que ésta los señores de Elorza?

25 — Y aquella otra niña que está sentada allí que se llama Marta. Ha de ser muy linda también.

— En efecto, es bonita . . . pero no tiene expresión alguna. Es una belleza vulgar,[90] mientras que su hermana . . .

30 — Silencio, que ya empieza.

Había un silencio que siempre había sido el ideal de don Serapio. María cantó varias selecciones de ópera

[82] queen
[83] majestic
[84] slender
[85] Renaissance
[86] Greek statues
[87] alluring
[88] I am glad.
[89] professional
[90] ordinary

que le fueron pidiendo, sin hacerse de rogar. Cuando terminó aplaudieron mucho.

Como cesaron y las miradas de todos dejaron de estar fijas sobre ella, una sombra de tristeza [91] se extendía por el hermoso rostro de María. Acercóse a doña Gertrudis y le dijo al oído: 5

— Mamá, me duele [92] muchísimo la cabeza.

— ¡Ay, hija de mi alma, lo siento!

— Quisiera irme a acostar.

— Pues ve, hija mía, ve; yo diré que te has sentido un poco enferma. 10

— Adiós, mamaíta. Que pases buena noche.

María besó a su madre en la frente, y poco a poco, tratando de no ser notada, salió del salón por la puerta del comedor. Se detuvo en él a beber un vaso de agua. La sombra de tristeza había obscurecido mucho más su rostro. 15

Salió del comedor y cruzó un largo corredor bastante obscuro. Allí había una puerta donde comenzaba una escalera [93] interior. Apenas hubo subido cuatro o cinco peldaños [94] se sintió cogida fuertemente por el brazo y dejó escapar un grito. Al volverse vió con dificultad el rostro pálido [95] de su novio. 20

— ¡Ricardo! ¿Qué haces aquí?

— Vi que salías del comedor y te he seguido. 25

— ¿Para qué?

— Para oír otra vez de tus labios la palabra infame [96] que me has dicho en el salón. ¿Crees, que no vale la pena [97] de repetirse? ¿Crees que puedo renunciar [98] a todo un pasado de amor, a todo un porvenir [99] de felicidad, a todos los sueños agradables de mi vida sin llamarte 30

[91] sadness
[92] aches
[93] staircase
[94] steps
[95] pale
[96] vile
[97] it is not worth while
[98] renounce
[99] future

infame, cien veces infame, mil veces infame, ahora aquí entre los dos, después ante el mundo entero? . . . ¡Ven, ven, miserable! . . . ¡Ven a que te lo llame delante de todo el mundo! . . .

5 Y Ricardo, pálido trataba de llevar a su novia hacia la sala.

María inclinó [100] la cabeza y no dijo una palabra. Se dejó llevar sin oponerse, bajando los cuatro o cinco peldaños de la escalera. Pero al llegar al corredor, Ricardo 10 sintió en la mejilla [101] un beso caliente.[102] Inmediatamente los brazos de María se enlazaron a [103] su cuello y sintió en los labios otros labios.

— ¡Ricardo mío, por Dios, no me mates!

Estas palabras, dichas al oído fueron acompañadas de 15 caricias.[104] El joven la estrechó [105] fuertemente contra su pecho sin contestar a causa de [106] la emoción que le dominaba. Cuando estuvo más sereno le preguntó con voz débil:

— ¿Me quieres?

20 — Con toda mi alma.

— ¿No fué más que un instante de mal humor?

— Nada más.

— ¡Oh, qué rato tan amargo [107] me has hecho pasar! Por todo el oro del mundo no lo pasaría otra vez.

25 — ¿No quedas bien pagado, di?

— Sí, hermosa.

— Suelta. Me voy a acostar. ¡Tengo un dolor de cabeza tan fuerte! . . .

— Espera un poco . . . Déjame darte un beso en la 30 frente . . . Ahora otro en los ojos . . . Ahora otro en los labios . . . Ahora en las manos . . .

— Adiós.

[100] bowed
[101] cheek
[102] hot, warm
[103] were put around
[104] caresses
[105] clasped
[106] because of
[107] bitter

— Adiós.

— ¡Suelta, Ricardo, suelta!

— Me voy a marchar en seguida. Hasta mañana.[108]

María se escapó corriendo, Ricardo trató de alcanzarla otra vez saltando por la obscura escalera; pero no pudo. 5 La joven le dió las buenas noches [109] alegremente desde arriba.

Al entrar de nuevo en el salón Ricardo sonreía de contento. Pronto se sentó.

El gabinete de María estaba a obscuras.[110] Encendió 10 una lámpara.[111] Estaba decorado con lujo [112] y con un gusto que rara vez [113] suele verse en los pueblos.

Cuando María encendió la lámpara, se encontraron sus ojos con [114] los de una imagen del Redentor [115] que ocupaba el centro de la mesa. Al notar la mirada dulce 15 pero glacial de la imagen, dejó de sonreír, y quedó pensativa.[116] Poco a poco su rostro perdió la expresión habitual y se puso triste. Dejóse caer de rodillas [117] e inclinó la cabeza. Al poco tiempo [118] lloraba.

Después de un largo rato levantó la cara y exclamó: 20

— ¡Jesús mío, cuánta traición,[119] cuánta traición!... ¡Qué mal os pago el amor que me tenéis!... ¡Castígame,[120] Señor, para que pueda tener tranquilidad!

Levantóse del suelo, tomó la lámpara en una mano y entró en su alcoba.[121] Era pequeñita y fresca y estaba 25 adornada con profusión de cuadros de Jesús y de la Virgen. Dejó la luz sobre la mesa de noche y con rostro más tranquilo se desnudó.[122]

Después tomó una manta de viaje,[123] se envolvió [124]

[108] See you tomorrow.
[109] said good night to him
[110] in the dark
[111] lamp
[112] luxuriously decorated
[113] seldom
[114] her eyes met
[115] image of the Redeemer
[116] pensive, thoughtful
[117] on her knees
[118] in a little while
[119] disloyalty
[120] punish me
[121] bedroom
[122] undressed
[123] traveling blanket
[124] wrapped herself up

con ella, apagó [125] la lámpara, y se acostó [126] en el suelo. Así permaneció extendida [127] sobre el pavimento hasta que la luz del día se veía.

EXERCISES

I. Translate, noting carefully the idioms in italics:

1. Él tiene la desgracia de no *fijarse en* lo que hace.
2. *No hay que pensar en* el plan de Sotolongo.
3. Los carlistas *llegaron a* romper la línea de Somosierra.
4. Se marchó *de prisa* porque la música le interesaba poco.
5. Los caballeros *estaban en pie* a la puerta del gabinete.
6. *Al fin* don Serapio se fué acercando al piano.
7. *Los dos* deben escribir una carta a su tío.
8. *De pronto* se levantó María del diván.
9. María, *poco a poco* y tratando de no ser notada, salió del salón.
10. *Tiene usted mucha razón.*

II. Answer in Spanish:

1. ¿Cuántos años tiene doña Gertrudis?
2. ¿Cuántos años tiene usted?
3. ¿Tiene usted los cabellos rubios?
4. ¿Tiene usted los ojos negros?
5. ¿Es usted alto y gordo?
6. ¿Podía hallar el señor Elorza su tabaco? ¿Quién va a buscarlo?
7. ¿Le gusta a usted vestirse de corto?
8. ¿Cómo se llamaba la hija menor del señor Elorza?
9. ¿Ha de durar mucho tiempo la guerra?
10. ¿Cuándo va a casarse Ricardo con María?

VOCABULARY BUILDING STUDY

English adjectives ending in *–ous* often become *–oso, –osa* in Spanish. Translate to Spanish the following: *curious,*

[125] extinguished [126] lay down [127] stretched out

famous, *furious*, *virtuous*, *glorious*, *religious*, *precious*, *amorous*, *spacious*, *malicious*, and *nervous*.

Spanish words ending in *–io*, *–ia* often end in *–y* in English: *solitario*, *necesario*, *canario*, *ordinario*, *contrario*, *miseria*, *galería*, *historia*, *melancolía*, *familia*, *comedia*, *sinfonía*, *ceremonia*, and *melodía*.

3 *La Novena*[1] *del Sagrado*[2] *Corazón de Jesús*

Nuestra joven se levantó de pronto del suelo. Quedóse inmóvil [3] un instante escuchando; pero no oyó las campanas [4] de San Felipe que creyó escuchar en sueños. Todavía no [5] eran las seis. Encendió la lámpara, y
5 saliendo al gabinete se puso a rezar [6] frente a la imagen de Jesús. El frío la penetró [7] en seguida, pero no quiso dejarse vencer y siguió rezando. Después decidió vestirse. Luego abrió las cuatro ventanas del gabinete.

La luz triste y fría entró en la habitación de la señorita
10 de Elorza. La torre [8] de la casa no tenía más que dos habitaciones: la de María, compuesta de gabinete y alcoba, y la de su criada Genoveva. Eran las habitaciones más frías, pero también las más alegres de la casa. Cuando el sol salía, entraba primero en estas habita-
15 ciones. Eran también las más silenciosas.

María se acercó a una de las ventanas que daba al jardín. Desde aquella ventana se veía la ría [9] entera de Nieva hasta El Moral, que era el sitio por donde se unía con el mar. Por encima de [10] las paredes del jardín
20 aparecían los palos [11] de algunos barcos.[12]

Comenzó a llover. El ruido de la lluvia le trajo a la

[1] nine days of prayers
[2] sacred
[3] motionless
[4] bells
[5] not yet
[6] to pray
[7] penetrated
[8] tower
[9] mouth of the river
[10] over
[11] masts
[12] boats

memoria [13] las muchas tardes que había pasado cerca de aquella misma ventana escuchándolo con un libro abierto en la mano. El libro era siempre una novela.

Fué un tiempo feliz para María. Tenía entonces diez y seis años. Lloraba por cualquier cosa; a veces sin motivo alguno y cuando menos se esperaba.[14] Una vez establecida en estas habitaciones con su piano, se creía la mujer más feliz de la tierra.

Don Mariano llamaba aquel gabinete «la jaula [15] de María.» Él nunca dejaba de exclamar con su habitual y bondadosa sonrisa:[16] «¡Ya canta el pajarito!» [17] Y todos sonreían porque en la casa todo el mundo quería y admiraba a la niña.

En dos o tres años entró un gran número de novelas en el gabinete de la torre. Don Serapio le dió muchas. Después de haber leído los libros de Don Serapio le pidió a una de las señoritas de Delgado que le diese muchas novelas de la escuela romántica. Las novelas que entonces leyó fueron entre otras: *Ivanhoe* y *La dama del Lago.*[18] Nuestra joven deseaba que una de estas pasiones de que leía, entrase en su corazón. Pensaba en la vida que los esposos tendrían con sus hijos. Ahora hacía mucho tiempo que María no tomaba una novela en las manos.

El ruido del viento cesó por completo. La luz había crecido ahora, extendiéndose por todo el nublado cielo. Todavía caía una lluvia fina.

María fué a tomar un libro que tenía en la mesa de noche de su cuarto, acercó una silla a la ventana, y sentándose en ella, se puso a leer. Era la *Vida de Santa Teresa* [19] escrita por ella misma. Según leía, el rostro

[13] reminded her of
[14] expected
[15] cage
[16] smile
[17] little bird
[18] *The Lady of the Lake*, by Sir Walter Scott 1771–1832
[19] 1515–82 Spanish mystic writer, Carmelite nun

de la joven se serenaba más y más. Leía la parte en que la santa manifiesta cómo mostró interés por los libros de caballerías [20] y las vanidades del vestido, y en que habla de sus relaciones amorosas. Cuando levantó los ojos del libro se advertía en ellos cierta satisfacción.

Sonaron al fin verdaderamente las campanas de San Felipe. Dejó de pronto el libro y abrió la puerta del cuarto de su criada.

— ¡Genoveva, Genoveva!

— Ya estoy despierta,[21] señorita.

— Levántate; ya tocan [22] en San Felipe.

En seguida se levantó, se vistió y apareció en el gabinete de su señorita. Genoveva era una mujer de unos cuarenta años, baja,[23] gorda, morena con ojos grandes. Había entrado en la casa cuando María apenas contaba un año para servirla, y nunca más la dejó.

— ¿Desde cuándo está vestida usted?

— Hace ya cerca de una hora, Genoveva. Creí escuchar las campanas, pero me equivoqué.[24] Ahora suenan de veras. No perdamos tiempo; toma los paraguas [25] y vámonos . . .

— Vamos, vamos cuando usted quiera, señorita.

Ambas se pusieron las mantillas,[26] y tratando de no hacer ruido, bajaron hasta la entrada, abrieron la puerta, que aún se hallaba cerrada, y salieron a la calle que cruzaron con los paraguas abiertos hasta llegar al soportal.

El pueblo de Nieva, como ya se ha dicho, tiene soportal en casi todas las calles, de uno o de otro lado; a veces de los dos.

La señorita de Elorza y la criada cruzaron la plaza

[20] chivalry
[21] awake
[22] ring, peal
[23] short
[24] I was mistaken
[25] umbrellas
[26] put on their veils, shawls

entrando en una calle estrecha,[27] larga y solitaria. La gente dormía el sueño dulce de la mañana.

— ¿Va usted bien cubierta,[28] señorita? ¡Mire usted que hace frío![29] . . . Parece que estamos ya en enero.

— Sí. 5

— Eso, eso, mi corazón. Si papá sabe que salimos tan de mañana,[30] me va a reñir porque se lo consiento. Es usted demasiado virtuosa, señorita. Pocas o ninguna llevarán a la edad de usted vida tan santa.

— Calla, calla, Genoveva, no digas eso; no soy más 10 que una miserable pecadora;[31] mucho más miserable de lo que tú te figuras.

— ¡Señorita, por Dios! . . . No soy yo quien lo dice, sino todo el mundo . . . Ayer me decía doña Filomena que le gustaba verla a usted oír la misa[32] y que daría 15 cualquier cosa para que sus hijas fuesen lo mismo . . .

No contestó María. Siguieron caminando[33] algún tiempo y llegaron a cierta plaza en donde estaba la fachada severa de una gran iglesia.

Genoveva fué a preguntar a Fray Ignacio si podía 20 confesar a su señorita. María se acercó a la ventanilla del confesonario.[34]

Después María y Genoveva se dirigieron hacia casa. Pero la señorita de Elorza volvía a veces la cabeza. Un caballero viejo, alto, delgado, pálido, y con grandes 25 bigotes blancos, las seguía.

Al entrar en el soportal de una calle el caballero vino rápidamente. El caballero se dirigió a María y le dijo gravemente en voz baja:

— ¿Señorita, ha terminado usted de bordar el estan- 30 darte?[35]

[27] narrow
[28] Are you well covered
[29] it is cold
[30] early
[31] sinner
[32] mass
[33] walking
[34] little window of the confessional
[35] embroidering the banner

— Sí, don César.

— Está bien, señorita. Mañana a estas horas preséntese usted a donde usted sabe . . .

— No faltaré.

5 Don César Pardo advirtió que dos jóvenes venían hacia ellos. Entonces, sin despedirse, se separó [36] de las mujeres.

EXERCISES

I. Supply the Spanish for the words in italics and translate:

1. (*Immediately*) se levantó del suelo.
2. La casa (*faced*) el jardín.
3. Nunca (*did he cease*) exclamar: — Ya canta el pajarito.
4. (*Everyone*) admiraba a la hija mayor.
5. (*They thought about*) la vida que tendrían más tarde.
6. Ella (*became*) más triste cuando leyó eso.
7. Él (*addressed*) a María en una voz baja.
8. (*Let us not waste*) tiempo, toma los paraguas y vámonos.
9. (*Finally*) sonaron las campanas.
10. (*Over*) las paredes del jardín se veían unos barcos.

II. Answer in Spanish:

1. ¿A qué hora se levantó María?
2. ¿Qué hizo María después de levantarse?
3. ¿Cuántos cuartos hay en la torre?
4. ¿Qué podía ver María desde aquella ventana?
5. ¿Cuántos años tenía entonces María?
6. ¿Se creía feliz María?
7. ¿Qué llamó aquel gabinete don Mariano?
8. ¿Qué leía María antes de salir de su cuarto?
9. ¿Cuántos años tiene Genoveva?
10. Describa a Genoveva.
11. ¿Cuánto tiempo hace que Genoveva sirve a María?

[36] he withdrew from

12. ¿Qué se pusieron María y Genoveva antes de salir de la casa?
13. ¿A qué iglesia fueron María y su criada, Genoveva?
14. ¿Quién es Fray Ignacio?
15. ¿Quién seguía a María y a Genoveva hacia la casa?
16. ¿Qué le preguntó a María don César?

VOCABULARY BUILDING STUDY

Spanish words ending in *–cio*, *–cia* usually become *–ce* in English: *distancia*, *influencia*, *indiferencia*, *gracia*, *conferencia*, *elegancia*, *provincia*, *adolescencia*, *impaciencia*, *violencia*, *sacrificio* and *silencio*.

These Spanish words ending in *–o* or *–a* change to *–e* in English: *fino*, *pulso*, *absoluto*, *bravo*, *severo*, *infinito*, *inmenso*, *futuro*, *puro*, *disputa*, *fortuna* and *figura*.

4 *De Cómo el Marqués*[1] *de Peñalta Fué Convertido en Duque de Turingia*[2]

Pocos días después de la fiesta de los señores de Elorza, Ricardo salió como de costumbre[3] de su casa a las diez de la mañana y se dirigió a la de su novia. No era el amor solamente lo que le hacía andar tan temprano por
5 la calle, sino también la triste soledad[4] que reinaba[5] hacía tiempo en la inmensa y vieja casa en donde vivía; porque nuestro joven se hallaba solo en el mundo desde hacía poco más de un año.

Su padre, el viejo marqués de Peñalta, había muerto
10 cuando él no tenía más que seis años de edad. Al llegar a la juventud,[6] Ricardo no tuvo más remedio que pensar en su carrera.[7] Quiso ser artillero,[8] y gracias a su carácter bondadoso, alegre y simpático, más que a su aplicación, terminó el joven marqués de Peñalta la
15 carrera que había escogido. Pero, después, por desgracia,[9] murió también su madre y quedó solo en el mundo sin tener a nadie a quien amar. La única persona con quien tenía gusto en hablar era don Mariano Elorza, que había sido muy amigo de su padre, y cuya

[1] Marquis
[2] Thuringia, 13th century German, married St. Elizabeth of Hungary
[3] as usual
[4] solitude
[5] reigned
[6] youth
[7] career
[8] artillery soldier
[9] unfortunately

casa visitaba con gran confianza cuando venía a Nieva de vacaciones. Don Mariano, que era cordial y amable con todo el mundo, se mostraba con él doblemente afectuoso [10] por la situación infeliz en que se hallaba. Su casa fué para nuestro joven, en el tiempo que siguió a la muerte de la marquesa, un lugar de refugio donde hallaba un poco de calor de familia que necesitaba tanto.

En cambio, es necesario decirlo, Ricardo siempre había sentido hacia la hija primera de don Mariano cierta admiración y simpatía, que fácilmente se cambia en amor cuando la edad y la ocasión invitan y la frecuencia de la asociación estimula; [11] con mayor motivo aún cuando ni él ni ella habían estado enamorados nunca. Mucho antes de que se formalizasen sus relaciones, ya se hablaba en el pueblo del matrimonio del joven marqués de Peñalta con la señorita de Elorza. Era un matrimonio indicado y pedido por la opinión pública. Porque es de advertir que las familias de Peñalta y Elorza eran las más ricas del pueblo, y el público encuentra siempre tan lógico que la riqueza [12] vaya a la riqueza, como los ríos a la mar. Así que Ricardo y María fueron declarados marido y mujer, poco después de su nacimiento.

Ricardo llegó pronto a la entrada de la casa de Elorza, que era espaciosa y obscura. Se entraba inmediatamente en el patio bastante grande con fuente en el medio. Toda la casa ofrecía la misma comodidad [13] como los antiguos palacios [14] aunque fué construida en época relativamente moderna. Todo su interior denotaba alegría, y elegancia.

La casa mostraba en cierto modo la posición de sus dueños. Ambos eran hijos de las familias más impor-

[10] affectionate
[11] stimulates, encourages
[12] wealth
[13] comfort
[14] palaces

tantes, no tan sólo de Nieva, sino [15] de la provincia en que este pueblo está situado. La señora era hermana del marqués de Revollar que tanto había figurado en Madrid hacía pocos años porque gastó libremente su dinero, y que ahora no tiene nada y por eso había corrido a refugiarse en el ejército [16] del Pretendiente,[17] a quien servía como ministro y consejero. Don Mariano era de una familia menos gloriosa y vieja, pero mucho más rica. Su abuelo había traído una fortuna inmensa de Méjico en los últimos años del pasado siglo.

Ricardo entró en las habitaciones de la casa de Elorza con la indiferencia del que se encuentra dentro de la suya, sin quitarse siquiera el sombrero. Cuando entró en el gabinete de doña Gertrudis, esta señora estaba comiendo. Al ver a nuestro joven exclamó:

— ¡Ay, querido [18] en qué mala hora llegas!

— Pues ¿qué pasa? [19]

— ¡Que me muero, Ricardo, que me muero!

— ¿Se siente usted peor?

— Sí, hijo mío, sí, me siento muy mal: no es posible decir lo mal que me siento. Si no me muero hoy, no me muero nunca. Toda la noche la pasé en un puro grito . . . Después . . . después ese tigre de don Máximo no ha venido todavía a pesar de haberle enviado dos mensajes [20] . . . ¡Que Dios le perdone! . . . ¡Que Dios le perdone!

Doña Gertrudis cerró los ojos como si se preparase a morir.

Ricardo, acostumbrado a esto, se quedó buen rato silencioso. Al cabo dijo en tono indiferente:

— ¿No sabe usted? . . . Enrique ha conseguido [21] cambiar el aderezo, y ayer ha llegado el otro.

[15] not only of Nieva but
[16] to take refuge in the army
[17] Pretender to the throne, Carlos
[18] dear
[19] What is the matter?
[20] messages
[21] succeeded in

— Vaya, gracias a Dios — contestó doña Gertrudis, abriendo los ojos. — Bien creí que no se lo cambiarían.

— ¿Por qué no?

— ¡Toma! ¡toma! [22] porque vendiendo el otro habían vendido una cosa vieja de la cual no sé cómo saldrán [23] 5 ahora.

— Sí, pero perdían nuestro negocio. ¿Usted no ve que Enrique recibe órdenes de toda la provincia?

— Eso también es verdad. ¡Oh, qué gente tan mala!

Después de haber expresado este sentimiento, doña 10 Gertrudis cerró de nuevo los ojos con una expresión de dolor, y siguió de esta manera:

— Lo que siento, hijo mío, es que no os he de ver casados ... Me encuentro muy mal, muy mal ... El corazón me dice que me he de morir antes de que llegue 15 el día del matrimonio ... Y la verdad es que más vale [24] que me muera si he de sufrir tanto ...

— Vamos, no diga usted esas cosas; ¡qué se ha de morir!

— Mi enfermedad es mortal, y si no ya se verá ... 20 Mi marido no quiere creerlo; pero pronto se ha de convencer.

Ricardo se quedó todavía un rato al lado de doña Gertrudis y después buscó a las niñas. Halló a Marta en la cocina [25] muy ocupada en hacer una empanada.[26] 25

— ¿Y María, *ma petite ménagère?* [27]

— Está en su cuarto arreglándose; no tardará en bajar.

— Si te molesto en tu trabajo, me voy, si no, me quedo.

— No me molestas, si te quitas un poco de la luz ... así ya estás bien. 30

— Bueno; me quedo para aprender a hacer ... ¿qué es lo que estás haciendo?

[22] why!
[23] they will get rid of it
[24] it is better
[25] kitchen
[26] meat pie
[27] my little housekeeper (*French*)

— Una empanada de jamón.[28]

La niña levantó la cabeza sonriendo a su futuro cuñado[29] y empezó de nuevo el trabajo. Estaba en pie delante de una mesa baja. Tenía puesto[30] un enorme delantal[31] blanco como el de las cocineras.[32] Sus ojos negros brillaban más con este traje, lo mismo que sus cabellos negros. Tenía los brazos bonitos. Con ellos hacía rodar[33] de un lado a otro por encima de la mesa un pedazo grande de pasta.[34] Algunas criadas se paseaban por la cocina atendiendo a su trabajo. Ricardo miró un instante la operación en silencio; pero no tardó en exclamar:

— ¡Qué raro! ¡qué raro!

Las criadas volvieron la cabeza. Marta también levantó la suya.

— Pues, ¿qué pasa?

— Pero, niña, ¿dónde te has comprado esos brazos tan redondos?[35]

La niña se puso roja.

— Vamos. Mira, para eso no te he permitido que te quedases.

— Es que ahora debo quedarme aunque mandases lo contrario.

— Bien, haz lo que quieras; pero déjame trabajar en paz.

— Te dejaré que trabajes. Vamos, te digo que sin verlo no lo creyera.[36]

Las criadas reían. Marta tenía una expresión de resignación. Ricardo continuó:

— Y eso que había oído hablar a María de ellos... No eran bien precisas sus noticias. La verdad es que

[28] ham
[29] brother-in-law
[30] had on
[31] enormous apron
[32] cooks
[33] roll
[34] dough
[35] round
[36] imperfect subjunctive of *creer*

una niña de catorce años no tiene derecho a poseer unos brazos como ésos.

Marta rió.

— ¡Jesús, no se te puede sufrir!

Después su rostro adquirió la expresión plácida y grave que lo caracterizaba, y empezó de nuevo el trabajo. 5

Cuando le pareció que estaba bien, la dividió en varios pedazos.

Ricardo preguntó:

— ¿Me dejas que te ayude, Martita? 10

— No sabes.

— Me dirás lo que debo hacer, y bajo tu dirección marchará bien el negocio.

— Bueno, consiento en ello, pero lávate [37] las manos.

Ricardo tuvo que ir a lavarse las manos. 15

— Está bien; ahora toma este otro rollo y extiende este pedazo de pasta hasta que lo conviertas [38] en una lámina [39] redonda.

El nuevo panadero se puso a la obra con ardor, con demasiado ardor. Las criadas lo contemplaban sonrientes.[40] 20

Ricardo no podía estarse callado un instante. No cesaba de hacer preguntas [41] y dirigir observaciones de todas clases a Marta acerca de [42] la empanada que tenía entre manos. «¿Cuántos huevos [43] había echado en la harina? [44] ¿Con quién había aprendido a hacer empanadas? ¿Cuánto tiempo necesitaba estar en el horno,[45] etc., etc.?» Marta respondía sin levantar la vista a todas las preguntas y sonreía. 25

— Oye, Marta, ¿qué diría Manolito López si nos viera en este momento? 30

[37] wash
[38] you change
[39] sheet
[40] were contemplating it smiling
[41] to ask questions
[42] about
[43] eggs
[44] flour
[45] oven

— ¿Qué había de decir? Lo que quisiera — contestó la niña.

— ¡Qué sé yo! . . . Como está tan enamorado, según dicen . . .

— ¡Qué ganas tienes de [46] burlarte de mí! [47]

— Chica, es lo que dicen.

— Bien, pues no me importa.

— Se lo diré en cuanto le vea.

— ¡Vamos, no seas tonto!

Se conocía que le molestaba un poco la broma.[48] El fundamento que Ricardo tenía para burlarse de ella era poco como sucede casi siempre en la adolescencia; pero verdadero hasta cierto punto. Los chicos de catorce o quince años corren en pos de [49] las chicas de la misma edad y establecen con ellas relaciones que son los amores de los jóvenes. Se dice, por ejemplo, entre ellos, que Fulanito es novio de Fulanita [50] sin saber por qué, y Fulanito por ese hecho, sin que le importe gran cosa [51] de Fulanita, va a esperarla con otros amigos a la salida del colegio,[52] y la sigue hasta su casa, molestando mucho a la criada que la acompaña; en los bailes [53] que se forman, la saca a bailar con más frecuencia que a las otras; cuando es un poco atrevido le suele ofrecer dulces, y pasa por delante de su casa varias veces el día que se pone traje o sombrero nuevo; trata cuando la sigue de hablar alto.[54]

La conducta de Fulanita suele ser lo mismo. No le importa tampoco; pero como dicen que es su novio, hace lo posible para que lo parezca; y así vuelve la cabeza a veces para mirarle cuando sale del colegio; sale al balcón cuando él pasa. Fulanito no se encuentra

[46] How you want to
[47] make fun of me
[48] joke
[49] after
[50] *Fulanito, -a* Master So-and-so, Miss So-and-so
[51] a great deal
[52] school
[53] dances
[54] loudly

todavía en la edad de las pasiones sino en la de la gimnasia.[55] Fulanita está siempre a mucha mayor edad en cuanto a la vida del corazón, y en su interior desprecia [56] a Fulanito que no sabe hablar un poco sobre la simpatía y el amor, ni puede besar un abanico [57] que cae de la 5 mano ni tiene bigote. Por eso generalmente cuando Fulanita se viste de largo [58] no vuelve a mirar a Fulanito, el cual lo encuentra naturalísimo y no se muere por ello ni se suicida.

Tales eran las relaciones que sostenía nuestra Marta 10 con Manolito López. Manolito, si bien [59] de rostro expresivo y hasta hermoso, era ruidoso e insolente. Marta era amable, callada,[60] firme, y reservada. El defecto que en su casa la señalaban era el de ser un poco terca.[61]

Cuando terminaron de formar varios pedazos de pasta, 15 Marta fué poniéndolos en una tartera.[62] Después una de las criadas le trajo el jamón preparado y cortado. Ricardo ya no la ayudaba; al parecer [63] se había cansado. Hecha la empanada fué la misma niña a meterla en el horno. 20

— ¿Sabes una cosa, Martita?

— ¿Qué te pasa?

— Que con estos olores [64] de cocina y el trabajo, se me ha despertado un apetito más que regular.[65]

— Pues mira, eso comiendo se quita. Ven conmigo. 25

Y le llevó al comedor que estaba cerca y le hizo sentarse a la mesa. Después sacó servilleta,[66] pan, vino, y un plato de pavo,[67] y se lo fué poniendo delante, uno en pos de otro con la calma que caracterizaba todos sus movimientos. 30

[55] gymnasium
[56] scorns
[57] fan
[58] long (dress)
[59] although
[60] silent
[61] obstinate, headstrong
[62] pastry-baking pan
[63] apparently
[64] odors
[65] ordinary
[66] napkin
[67] turkey

— Coma usted, señor marqués, era una de las bromas que Marta se autorizaba en cuanto a su futuro hermano.

Ricardo se puso a comer un pedazo de pavo con toda solemnidad mientras la niña en pie lo contemplaba 5 satisfecha.

— Eres una gran mujer, Martita — decía Ricardo con la boca llena. — En cuanto vea a Manolito López le diré que no piense en otra mujer si quiere ponerse gordo. Si a mí me cuidas de ese modo, ¡cómo le cui- 10 darás a él! . . . Basta, basta, Martita, no me pongas tanto dulce . . . Tú quieres que tome una indigestión [68] aquí en secreto . . . Está bien ese pavo: merece los honores que le he hecho . . . Échame un poquito de vino . . . Mira, chica, haz el favor de [69] comer tú tam- 15 bién, porque me da pena verte. Parece que te han castigado . . .

La niña no tenía apetito y se negó a [70] tomar el plato que le presentó. Sin embargo, cortó un pedazo de pan y empezó a comerlo gravemente con sus dientes blancos 20 y pequeños.

— Te digo que no tardarás en comer ese plato de dulce, Martita . . . La cuestión es empezar . . . Ya verás . . . Lo peor es que ya son las doce, y que a la hora de comer me voy a hallar sin apetito . . . Martita, 25 no seas tonta y cómete ese dulce.

Cuando Ricardo terminó de comer, entró en el comedor Genoveva diciéndoles:

— A la señorita María le duele un poco la cabeza y está descansando sobre la cama.

30 — Voy allá — exclamó Marta saliendo rápidamente.

— De su parte [71] traigo para usted una carta, señorito — dijo la criada presentándosela.

[68] get indigestion
[69] please
[70] refused
[71] in her name

Pero al ver que el joven trataba de romper el sobre,[72] le dijo:

— La señorita le pide que no la lea hasta que se vaya de casa.

— Bueno, bueno — dijo Ricardo un poco irritado. 5

Y tomando el sombrero y sin despedirse de nadie, se fué a su casa devorado por la impaciencia, y leyó la carta que sigue.

Mi queridísimo Ricardo:

Hace ya tiempo que deseo decirte un pensamiento sin atre- 10 verme a ello . . . Es el de pedirte que aplacemos [73] todavía algún tiempo nuestro matrimonio . . . ¿Estás seguro de que tú y yo nos hallamos preparados para tomar un estado que trae consigo tantos y tan graves cargos? [74] ¿Has considerado bien lo que quiere decir el sacramento del matrimonio? Para 15 que Dios bendiga [75] nuestra unión es necesario que nos hagamos dignos de celebrarla, preparándonos durante algunos meses, por lo menos, con una vida virtuosa y devota,[76] y haciendo algunos sacrificios y obras de caridad [77]. . . como el duque de Turingia y Santa Isabel.[78] Esto es lo que te propongo . . . 20 Piensa en lo que acabo de decirte y verás cómo tengo razón. No dudes de que te quiere mucho, mucho, la que es por ahora tu hermana.

EXERCISES

I. Translate the following sentences. Note the idioms in italics.

1. *En cambio* Ricardo siempre había sentido admiración hacia María.
2. *Al ver* a doña Gertrudis, se quitó el sombrero.
3. *A pesar de* mi enfermedad, don Máximo no quiere venir.
4. *De nuevo* cerró los ojos.

[72] envelope
[73] we postpone
[74] duties
[75] bless
[76] devout
[77] charity
[78] St. Elizabeth of Hungary

5. *Tiene ganas de* burlarse de mí.
6. *Por eso* cuando se pone *de largo* no *vuelve a mirar* a Fulanito.
7. *No tardarás en* comer este plato de pavo.
8. *Haz el favor de* comer un poco de este pan.
9. *De su parte* traigo esta carta para usted.
10. *Sin despedirse de* nadie, Ricardo se marchó.

II. Answer in Spanish:

1. ¿Adónde se dirigió Ricardo a las diez de la mañana?
2. ¿Cuándo murieron los padres de Ricardo?
3. ¿Qué carrera escogió Ricardo?
4. ¿Con quién tenía gusto en hablar Ricardo?
5. ¿Era amable don Mariano?
6. ¿Se enamoraron antes Ricardo y María?
7. ¿Cómo era el interior de la casa de los Elorza?
8. ¿Cuáles son las familias más importantes de la provincia?
9. ¿Quién es el hermano de la señora de Elorza?
10. ¿De dónde había traído la fortuna inmensa el abuelo de don Mariano?
11. ¿Qué hacía doña Gertrudis cuando Ricardo entró en su gabinete?
12. ¿Qué tenía doña Gertrudis?
13. ¿Qué ha cambiado don Enrique?
14. ¿Qué hace Marta en la cocina cuando Ricardo entra?
15. Describa a Marta.
16. ¿Cuántos años tiene Marta?
17. ¿Permitió Marta que Ricardo la ayudase?
18. ¿Quién es Manolito?
19. ¿Qué comió Ricardo?
20. ¿Podía comer Marta?
21. ¿Qué hace María?
22. ¿Por qué le escribe María a Ricardo?

VOCABULARY BUILDING STUDY

If you drop the final vowel of these Spanish words, you will have the English word: *pretexto*, *quieto*, *mérito*, *aspecto*, *elemento*, *momento*, *modelo*, *tranquilo*, *sacramento*, *rápido*, *elegante*, *instante*, *transparente*, *novela*, *correcta*, *monograma*, *carlista*, *moralista*, and *pianista*.

Spanish nouns ending in *–dad*, *–tad* become *–ty* in English. Translate the following into English: *humildad*, *intensidad*, *majestad*, *obscuridad*, *sociedad*, and *dificultad*.

5 *Camino de Perfección*

La carta señala un punto importantísimo en la vida de nuestros novios. Ricardo comenzó a ponerse furioso y escribir una larga carta a su novia considerando terminadas sus relaciones, que no llegó a enviar a su amada.
5 Después celebró con ella una conferencia en la que tuvieron disputas. Bien podía despedirle de otro modo menos grotesco, pues ya que no tuviese derecho a su amor, por lo menos podía y debía exigir la franqueza [1] y fidelidad que él había usado siempre; desde mucho
10 tiempo venía notando que no le amaba tanto, pero jamás pudo creer que se sirviese [2] para romper el lazo [3] que los unía de pretexto tan ridículo,[4] etc., etc. María recibió con humildad tantas insolencias, afirmando con palabras bondadosas y persuasivas, cuando le dejaba
15 un instante para hablar, que le seguía amando con toda su alma; que podía probar su amor cuando quisiera, pues haría por él cuantos sacrificios exigiese menos el de su conciencia; que sentía las sospechas [5] de traición y de decepción, pero que se las perdonaba, y, en fin,
20 que le rogaba se calmase.

Ricardo fué derecho a contar el caso y a pedir consejo y ayuda [6] a don Mariano a quien quería como a un padre. Fácil es imaginarse el efecto que la carta de su hija le causaría. Consideróla como una extrava-

[1] frankness
[2] she use
[3] bond
[4] ridiculous
[5] suspicions
[6] help

gancia de las muchas que la niña había sufrido en su vida, y prometió a Ricardo solemnemente hacerla desistir de aquella tontería. Mas después de haberla llamado a su cuarto y pasar encerrado con ella cerca de dos horas, empezó a sospechar [7] que la cosa no era 5 tan fácil como a primera vista parecía. Tenían que resignarse, y eso hicieron con la secreta esperanza de que la joven cambiaría pronto una vez satisfecho el capricho.[8] Aplazóse, por eso, la boda indefinidamente.[9] La vió menos. La joven parecía huirle y evitar las 10 ocasiones de conversar con él como antes. Ricardo las buscaba y las aprovechaba unas veces para dirigirle amargas acusaciones, otras para decirle mil frases de amor. Ella se mostraba siempre dulce y cariñosa,[10] mas procurando dirigir la conversación hacia asuntos 15 serios.

Cesaron casi enteramente aquellos felices momentos dulces y amables como los placeres de los ángeles, cuyos recuerdos se extienden por toda la vida, hasta por la del hombre más ordinario, una poética melancolía que 20 ayuda a sufrir la tristeza de la existencia y a contemplar sin envidia [11] la felicidad de los otros.

María pudo entregarse de lleno [12] a la vida de perfección, a la cual aspiraba con vehemencia. Las horas del día le parecían pocas para rezar, lo mismo en la 25 iglesia que en su casa, y para llorar sus pecados.[13] Frecuentaba [14] los sacramentos más y más, y asistía y tomaba parte con su presencia y dinero en todas las solemnidades religiosas que se celebraban en el pueblo. El tiempo que le dejaban libre sus oraciones lo empleaba 30 en leer libros devotos, los cuales formaron al poco tiempo

[7] to suspect
[8] whim, caprice
[9] the wedding indefinitely
[10] affectionate
[11] envy
[12] entirely
[13] sins
[14] attended

una biblioteca [15] casi tan numerosa como la de novelas. Las vidas de las santas le gustaban sobre todos los demás. Devoró pronto una multitud, fijándose, como es lógico, en las de aquéllas que más gloria alcanzaron
5 y más esplendor han dado a la Iglesia: la vida de Santa Teresa, la de Santa Catalina de Sena,[16] y la de Santa Gertrudis,[17] que fueron célebres por su piedad y por las gracias espirituales que Dios les dió. Estas lecturas [18] causaron profundísima impresión en el alma
10 ardiente y exaltada de nuestra joven, dirigiéndola más y más por el camino de la devoción.

No tardó en nacer en su corazón el deseo de seguirlas. De la admiración a la imitación es poco. Comenzó por donde debía, esto es, por imitar [19] su humildad. Hasta
15 entonces había sido modesta, aunque no tanto que no le gustase verse alabada [20] y aplaudida; mas desde esta época no sólo huyó toda alabanza [21] con cuidado sino que negó y hasta procuró ocultar sus talentos para quitar a los amigos la ocasión de alabarla. Comenzó a
20 hablar lo menos posible tanto con los de fuera como [22] los de casa y a hacer al instante cualquier cosa que le pidieran, lamentándose en su interior [23] de que no se lo mandasen en términos duros. Hizo que los criados le sirviesen en la mesa después que a todos los demás
25 y que le pusiesen siempre pan duro. Para vencer el amor propio se mostró más afable con las personas que le habían causado algún disgusto [24] que con las otras y bastaba que una le hiriese [25] más o menos en el orgullo [26] para que inmediatamente le diese muchas
30 atenciones como si le debiese gratitud. En cambio,

[15] library
[16] Italian nun 1347–80
[17] 7th century abbess of Nivelle
[18] readings
[19] imitating
[20] praised
[21] praise
[22] *tanto . . . como* = both . . . and
[23] to herself
[24] displeasure
[25] hurt, wound
[26] pride

con las que sabía que la querían y la admiraban gustaba de aparecer irritada para que no la tuviesen en mejor concepto [27] del que merecía.

María no encontraba en su familia la oposición que hubiera deseado para probarse. Los viernes comía 5 sólo pan y agua.

Traía siempre un medallón [28] al cuello con el retrato [29] de su novio. Un día que éste consiguió hablar un momento a solas [30] con ella, le dijo:

— Oye, Ricardo; si no te irritases, te diría una cosa. 10

— ¿Qué es? — lo preguntó el joven.

— Estoy viendo que te vas a irritar . . . pero te lo diré. He quitado tu retrato del medallón.

La cara de Ricardo expresó el asombro.[31]

— Y lo peor es que lo he substituido [32] con otro . . . 15

La expresión de asombro se cambió en pena, de tal modo que María, al contemplar aquel rostro, no pudo menos de [33] reír como en otro tiempo hacía a cada instante y que poco a poco había ido cesando, como si se hubiese apagado la luz y alegría. 20

— ¡Dios mío, qué cara has puesto! . . . Espera; para que sufras más voy a mostrarte tu substituto.

Y quitando el medallón del cuello se lo presentó. Tenía el retrato de Jesús. Ricardo sonrió entre satisfecho e irritado. 25

— Ahora, bésalo.

El joven lo hizo en seguida. María se escapó corriendo.

Tenía ella la virtud de la caridad también.

Genoveva era en todos estos ejercicios [34] de piedad, 30 más bien compañera que su criada.

Una noche se hallaban ambas en el gabinete de la

[27] not think better of her
[28] medallion, locket
[29] picture
[30] alone
[31] astonishment
[32] substituted
[33] could not help
[34] exercises

torre. María leía mientras Genoveva, sentada en otra silla, frente a ella, se ocupaba en hacer calceta.[35] Muchas veces pasaban de esta manera una o dos horas antes de acostarse, pues la señorita estaba acostumbrada a leer muy tarde.

Por último, la señorita decidió romper el silencio.

— Genoveva, ¿quieres leer de la vida de Santa Isabel? — dijo dándole el libro.

— Con mil amores,[36] señorita.

— Mira, ahí donde dice: «*Cuando su marido . . .*»

Genoveva comenzó a leer para sí; pero muy pronto le dijo María:

— No, no; lee en voz alta.

Entonces lo hizo, leyendo cómo la santa «*hacíase azotar*[37] *en secreto y con dureza todos los viernes en memoria de la Pasión dolorosa de Nuestro Señor.*»

— Basta, no leas más: ¿qué te parece? — dijo María después que Genoveva lo hubo leído.

— Ya he leído muchas veces esto mismo.

— Es verdad; pero ¿qué pensarías si yo tratase de hacer lo mismo?

Genoveva se la quedó mirando con los ojos muy abiertos sin comprender.

— ¿No entiendes?

— No, señorita.

María se levantó, y echándole los brazos al cuello, le dijo:

— Quiero decir, tonta, que si tú hicieses lo que te pido, yo imitaría a la santa esta noche.

Genoveva comprendió, pero todavía preguntó:

— ¿Qué oficio?[38]

— Tonta, el de darme algunos azotes[39] en memoria

[35] knitting
[36] with the greatest pleasure
[37] lashed
[38] function
[39] lashes

de los que recibió Nuestro Señor y todos los santos y santas a su ejemplo.

— ¡Señorita, qué está usted diciendo!

— Quiero humillarme.[40] ¿Lo harás?

— No, señorita, de ninguna manera[41] . . . No puedo 5 hacer eso . . .

— ¿Lo harás?

La criada convencida de que ayudaba a una obra de piedad, lo hizo. Pero María se irritó; quiso que fuesen más fuertes los azotes. 10

— No, así no; con más fuerza.

Genoveva no pudo contenerse; tiró las disciplinas[42] muy lejos y se arrojó llorando a abrazar a su señorita.

EXERCISES

I. Translate the following. Note the words in italics.

1. *No llegamos a* hacer lo que él quería.
2. *Por lo menos*, volverá mañana.
3. Haría *cuantos* sacrificios fuesen necesarios menos el de su conciencia.
4. Debe *pedirle consejo* y ayuda a su madre.
5. *¿Sospecha* ella lo que hemos hecho?
6. *Le hirió* más en el orgullo que en el alma.
7. *Quiero decir*, tonta, que es una obra de caridad.
8. *De ninguna manera*, puedo hacer esto.
9. *No pudo menos de* reír.
10. Lee *en voz alta*.

II. Answer the questions in Spanish:

1. ¿Le envió Ricardo una carta a María?
2. ¿Le ama todavía María a Ricardo?
3. ¿A quién pidió consejo Ricardo?
4. ¿Qué pensó don Mariano de la carta de María a Ricardo?
5. ¿Podía don Mariano cambiar las ideas de María?

[40] humble myself [41] by no means [42] whip of thongs

6. ¿Cuándo tendrá lugar la boda?
7. ¿Era muy religiosa María?
8. ¿Encontró María en su familia la oposición que quería?
9. ¿De quién es el retrato que María lleva en el medallón?
10. ¿Qué leyó Genoveva?
11. ¿Qué quería María que le diese Genoveva?

VOCABULARY BUILDING STUDY

The doubling of the consonant or vowel of some Spanish words will suggest the English equivalents: *afirmar*, *ofendido*, *túnel*, *indiferente*, *expresión*, *suficiente*, *ilusiones*, *pasión*, *atender*, *suceder*, and *discreto*.

Spanish words ending in *–ivo*, *–iva* become *–ive* in English. Translate these: *persuasiva*, *respectiva*, *activa*, *provocativa*, *negativa*, *expresivo*, and *motivo*.

6 *En Busca del*[1] *Menino*

— Te conozco, Ricardo, déjame.

Ricardo callaba.

— Déjame; mira que necesito concluir pronto para llevar el caldo[2] a mamá.

El joven seguía cubriéndole los ojos por detrás[3] sin decir una palabra. 5

— ¿Sabes que he ido por toda la casa y no he hallado a nadie?

— Mamá aún no ha salido de su cuarto y papá y María están fuera. 10

— María en la iglesia, como siempre, ¿verdad?

— No fué más que a misa; pronto vendrá. Vente conmigo; voy a meter ropa en el armario.[4]

Ricardo siguió a la niña hasta una habitación que daba al jardín. En el centro de ella y sobre una mesa 15 se hallaba una gran cesta[5] llena de ropa.

— ¿Quieres ayudarme a bajar esta cesta y ponerla aquí cerca del armario?

La cesta era enorme y era difícil llevarla al sitio señalado. 20

Carmen, la criada, entró por la puerta, gritando:

— ¡Señorita Marta, señorita Marta! ¡El Menino se ha escapado!

— ¿Se ha escapado?

[1] in search of
[2] broth
[3] from behind
[4] cupboard
[5] basket

— Sí, señorita; al pasar ahora por la galería, voy a mirar la jaula y me encuentro la puerta abierta y que el pájaro no está allí.

— ¡Vamos allá, vamos allá!

5 Y todos corrieron a la galería. En efecto, el Menino había huido. Marta había dejado abierta la puerta de la jaula. Hacía tres años que el Menino estaba en poder de nuestra niña. Desde hacía mucho tiempo salía de la jaula a tomar con ella el chocolate, y cuando 10 era hora de retirarse, se metía otra vez en la jaula. El Menino esperaba con impaciencia la ocasión de escaparse.

Hablaron nuestros jóvenes de lo que habían de hacer. Marta decidió que Carmen y el jardinero [6] irían a re- 15 correr el jardín mientras ella y Ricardo lo buscarían por toda la casa. Marta era el guía [7] y examinaron su cuarto. Era una habitación que parecía de espejos,[8] pues todo estaba muy limpio allí desde el pavimento de madera [9] hasta los hierros de los balcones. La gran 20 manía de Marta, la que le daba más alegría y más tristeza era la limpieza.

— Anda, Ricardo, no hay nada que ver aquí . . . vámonos, vámonos.

Después del cuarto de Marta, examinaron otros 25 cuartos, el comedor, el salón, y la galería del patio, pero no vieron al Menino.

— Vamos al terrado: [10] aún no hemos estado allá.

El terrado era una gran sala con suelo de mármol [11] y cubierta de ventanas de color.[12] El sol, aquella mañana, 30 salía a visitar todas las partes del pueblo, y al entrar por las ventanas del terrado de Elorza hizo un mágico espectáculo.[13]

[6] gardener
[7] guide
[8] mirrors
[9] wood
[10] terrace
[11] marble
[12] colored
[13] spectacle

La niña exclamó en seguida:

— ¡Y el Menino, Ricardo!

— Es verdad; nos habíamos olvidado... ¿Pero dónde vamos ahora?

— Vamos a la habitación de María... Tal vez haya 5 subido allá...

— No me parece probable,... pero, en fin, vamos.

Entró Ricardo en la alcoba y concluyó por tirar del [14] cajón de la mesilla. Había dentro una cruz ancha de cuero [15] llena de espinas.[16] Había un cilicio.[17] El joven 10 lo arrojó otra vez con violencia dentro del cajón. Salió de la alcoba seguido de [18] Marta. Al cruzar por delante de una de las ventanas del gabinete, la niña gritó con alegría:

— ¡Mira, mira, Ricardo!... ¡mira dónde está el 15 Menino!

El joven corrió a la ventana, y vió sobre el tejado [19] de la casa, no a mucha distancia, dando saltos de [20] satisfacción al Menino en persona.

— Voy a abrir la ventana. ¡Aquí está el Menino! — 20 gritó Marta desde arriba. — ¡Está muy cerca!... ¡Menino! ¡Menino!... ¡Ven acá, tonto! ¿No me conoces?

El Menino, que se hallaba a seis u ocho pasos de distancia, al oír la voz de Marta dió tres o cuatro saltos y dijo *pi... pii*,[21] y abriendo las alas [22] se perdió entre 25 los árboles de los jardines vecinos.

Marta gritó:

— ¡Dios mío, se ha ido!

— ¡Sí!

— ¿Muy lejos? 30

— Se perdió de vista.

[14] pulling out the
[15] wide leather cross
[16] thorns
[17] hair shirt worn for torture
[18] followed by
[19] tiled roof
[20] hopping with
[21] cheep
[22] wings

EXERCISES

I. Translate the following words and idioms:

1. *dar al jardín*
2. *en efecto*
3. *en seguida*
4. *en fin*
5. *Vamos allá.*
6. *hacía tres años que el Menino estaba*
7. *era hora de*
8. *lo que habían de hacer*
9. *la cesta*
10. *el espejo*
11. *el armario*
12. *la jaula*
13. *el guía*
14. *la madera*
15. *el terrado*
16. *el tejado*

II. Answer the following questions in Spanish:

1. ¿Qué va a llevar Marta a su mamá?
2. ¿Dónde está María?
3. ¿Quiénes están en la casa?
4. ¿Qué había en la gran cesta en el jardín?
5. ¿Cuántos años hace que Marta tiene el Menino?
6. ¿Salía a veces de la jaula el Menino? ¿Por qué?
7. ¿Adónde fueron a buscar al Menino?
8. ¿Cómo era la habitación de Marta?
9. Describa el terrado.
10. ¿Qué halló Ricardo en el cajón de la mesa de María?
11. ¿En dónde estaba el Menino?

VOCABULARY BUILDING STUDY

The Spanish endings *–ico*, *–ica* may become *–ical* or just *–ic* in English. Note the following: *lógico* (*adj.*) logical; *político* (*adj.*) political; *lógica* (*noun*) logic; *política* (*noun*) politics. The English equivalents of the following, whether nouns or adjectives, end in *–ic: romántico*, *trágico*, *aristocrático*, *música*, and *público*.

7 *Como Ustedes Gusten*

Las virtudes cristianas[1] florecían en el alma de la hija primera de los señores de Elorza. Cuando veía a su padre por la mañana, ya no se arrojaba a su cuello y le cubría de caricias.

Los momentos más felices de su existencia eran cuando rezaba. 5

Llegó la primavera. El jardín de los señores de Elorza era grande. La hija menor[2] de los dueños de este jardín se hallaba una mañana en él cortando flores y colocándolas después en una cesta. Las iba eligiendo 10 de un lado y de otro, parándose[3] a veces a pensar delante de algunas, y dejándolas intactas para ir en seguida hacia otras y volver más tarde a las primeras, dando un sin fin[4] de vueltas en todas direcciones. Desde la última vez que la vimos había experimentado[5] 15 en su figura algún cambio pequeño, no muy fácil de explicar. Acaba de cumplir los catorce años.[6] Su desarrollo físico[7] siempre exuberante y vigoroso, había comenzado en los últimos tres meses, acabando de formarla como un hermoso juguete.[8] Marta iba a 20 quedarse pequeñita. La expresión del rostro continuaba siendo tan tranquila, tan grave y dulce como antes, y tenía los grandes ojos negros,[9] serenos y claros.

[1] Christian
[2] younger
[3] stopping
[4] countless number
[5] experienced
[6] reached her fourteenth birthday
[7] physical development
[8] toy
[9] her eyes were black

Una de las señoritas de Ciudad no pudo menos de exclamar la noche anterior:

—¿No repara usted qué mirada tan suave tiene Martita?

5 —En efecto—contestó su amigo,—parece que esa niña acaricia [10] con los ojos cuanto mira.

Vestía en aquel momento un traje morado [11] obscuro.

Después que hubo cortado a su juicio las suficientes flores, fué a sentarse en un banco [12] de piedra a la som-10 bra, y poniendo la cesta a su lado y sacando un ovillo de hilo,[13] se dispuso con gran calma a hacer un ramillete.[14] Tomó primero una magnífica rosa blanca de las llamadas de té,[15] le quitó todas las espinas y hojas pequeñas. Al llegar a este punto de la operación 15 apareció Ricardo. Marta levantó la cabeza al oír los pasos y la bajó rápidamente para continuar su obra.

—Te andaba buscando, Martita.

—¿Para?

—Para nada... para verte... ¿Te parece poco?

20 —Si no es más, me parece poco, sí.

¿Acaso no quieres que te vea?

—No digo eso,... pero como no hace veinticuatro horas que has estado en casa...

—De todos modos tenía ganas de [16] verte.

25 Marta calló y siguió su trabajo añadiendo tres pensamientos [17] obscuros. Ricardo había cambiado también un poco desde la última vez que le vimos. Su rostro era delgado, y a la ordinaria expresión de alegría había sucedido otra como de fatiga [18] que a veces se mostraba [19] 30 casi triste y amarga. Sin duda no había sido muy feliz en los últimos meses. Ya sabemos que no tenía motivos

[10] caresses
[11] violet
[12] bench
[13] ball of thread
[14] bouquet
[15] tea
[16] felt like
[17] pansies
[18] fatigue
[19] appeared

para serlo. Los breves ratos en que podía hablar con su adorada, en vez de dedicarlos [20] a las dulces expresiones de amor, se pasaban ordinariamente en disputas. Ricardo trató de convencer a María de que sus ejercicios religiosos eran una exageración incompatible con la 5 naturaleza humana; María trató de persuadir a Ricardo a que abandonase las frivolidades del mundo y empezase el camino de la virtud que es el de la salvación.

Después que hubo contemplado silenciosamente por un momento la obra de Marta, le preguntó: 10

— ¿Para quién es ese ramo?

— Para María, que quiere empezar esta tarde sus flores a la Virgen. Me ha pedido que le hiciese dos y ya tengo uno en casa.

Un relámpago [21] de alegría pasó por los ojos del joven 15 al oír el nombre de su amada y empezó a interesarse en el arreglo del ramillete. Marta notó perfectamente la alegría y el interés de su futuro hermano.

Entre los tres pensamientos colocó tres claveles,[22] uno rojo, otro de color de rosa y otro blanco. En seguida 20 colocó alrededor margaritas alternando [23] los colores: roja, blanca, y azul.

— Ahora debes poner más claveles — dijo Ricardo.

— Cállate, Ricardo; no sabes lo que dices . . . Es necesario que las flores vayan sueltas y no se toquen 25 unas a otras [24] para que cada cual [25] conserve su forma dentro del ramo . . . ¿Lo ves? . . .

El hilo daba vueltas entre sus dedos. El ramillete iba tomando una forma bien proporcionada. Ricardo al dirigir la vista a la cesta vió unos geranios [26] de color 30 rojo y exclamó:

— ¡Oh qué geranios tan hermosos! . . . Este color tan

[20] dedicating
[21] flash (of lightning)
[22] carnations
[23] around daisies, alternating
[24] one another
[25] each one
[26] geraniums

vivo debe convenirte[27] muy bien, Martita... Ponte uno en el pelo...

La niña sin hacerse de rogar cogió el que le presentaba y se lo colocó entre sus negros cabellos por encima de la oreja.[28] Esta combinación tan común de lo negro con lo rojo que todas las niñas conocen se manifestó más armoniosa[29] que otras veces por la intensidad excepcional tanto de lo obscuro como de lo rojo. El geranio al moverse a aquel sitio pareció haber cumplido su destino en la tierra, brillando más hermoso y satisfecho que nunca.

Ricardo contempló la cabeza de Marta con verdadera admiración, mientras por los labios y los ojos de ésta había una inocente sonrisa de triunfo.[30]

Estaba hecho el ramillete. Marta levantó el ramo en alto, diciendo con orgullo infantil:

— ¿No está bien, bien?... ¿no está bien?

— ¡Admirable!... ¡admirable! — dijo Ricardo, y tomó el ramo, y poniéndolo después en la cesta cogió una mano de la niña y se la llevó a los labios.

Marta se puso tan roja como el geranio que llevaba en el pelo y la retiró rápidamente. Ricardo mirándola con sonrisa le dijo:

— ¿Qué es eso, señorita? ¿Qué es eso? ¿Tiene vergüenza[31] usted ya de que la besen una mano cuando no hace todavía cuatro meses que la besábamos todos en la mejilla?

Y tomándole a la fuerza las dos manos empezó a besarlas a toda prisa sin darse un momento de descanso hasta que creyó sentir algo raro sobre su cabeza y la levantó. Marta estaba llorando. La sorpresa[32] del joven fué tan grande que soltó las manos sin decir

[27] suit you
[28] ear
[29] harmonious
[30] triumph
[31] are ashamed
[32] surprise

palabra. La niña se cubrió con ellas la cara y comenzó a llorar con vivo sentimiento.

— Martita, ¿qué te pasa? . . . ¿Qué tienes? — le preguntó todo asustado, bajándose para verle el rostro.

— Nada, nada . . . déjame. 5

— ¿Pero por qué lloras? . . . ¿Te he hecho daño? [33] . . . ¿Te he ofendido? . . .

— No, no . . . déjame, Ricardo . . . déjame, por Dios . . .

Y levantándose del banco comenzó a correr en dirección de la casa limpiándose [34] los ojos. Ricardo la 10 vió alejarse, cada vez más [35] sorprendido, y permaneció algún tiempo en el banco tratando inútilmente de explicarse la conducta de la niña. Después se levantó y comenzó a pasear por el jardín. Al fin se había olvidado enteramente de todo. Otras memorias más vivas 15 vinieron a preocuparle.[36] Una hora por lo menos pasó andando y pensando en ellas, cuando al cruzar por delante del banco donde estuviera sentado con la niña se fijó en que el ramo de ésta aún permanecía dentro de la cesta como lo había dejado y ocurriéndosele que 20 no estaba bien allí quiso llevarlo a casa. A la primera criada con quien se encontró le preguntó dónde se hallaba la señorita.

— Me parece que debe de estar en la habitación de la señora. 25

Se fué hacia allá. A la puerta misma del cuarto de doña Gertrudis encontró a Marta, que salía a hacer sin duda algo para su madre. La niña, que aún llevaba el geranio rojo en el pelo, cuando le vió le dirigió una sonrisa dulce. 30

— ¿Estás irritada todavía, Martita? — le preguntó en voz baja.

[33] Have I hurt you?
[34] wiping
[35] more and more
[36] to preoccupy him

— Nunca lo estuve, Ricardo.

— ¿Por qué llorabas?

— No sé yo misma lo que ha sido... Hace algunos días que no me encuentro bien... y sin saber por qué lloro...

— Pues lo celebro en el alma, preciosa. No puedes figurarte lo que sentía haberte disgustado.

— ¡Bah!...

— ¡Y con qué sentimiento llorabas!... Creí que te pasaba algo grave de veras... ¿Has tenido algún disgusto hoy?

— No, no, no he tenido nada. Vuelvo en seguida... Hasta ahora.[37]

El marqués de Peñalta entró en el cuarto de doña Gertrudis donde se hallaban conversando don Mariano y don Máximo, que no manifestaban de modo alguno en su rostro la ansiedad;[38] lo cual irritaba de tal manera a doña Gertrudis, que casi se hubiera alegrado de morir en aquel momento sólo por darles un susto.[39]

Ricardo fué a sentarse cerca de los hombres sin ceremonia alguna, porque ya había tenido ocasión aquella mañana de hablar profundamente una buena hora sobre los nervios de doña Gertrudis.

— Yo no consentiría ni periódicos ni autoridades [40] que no obedeciesen [41] al Gobierno, don Máximo.

— Pienso lo mismo hasta cierto punto; aún nos encontramos en un período de lucha.[42] Pero no me negará usted que bajo un régimen [43] normal, la libertad...

— ¡Qué libertad!... Libertad para trabajar... ésa es la única que necesitamos... Caminos, puentes,[44] fábricas, ferrocarriles y puertos; eso es lo que pide nuestra nación... La libertad que ustedes los pro-

[37] I'll see you soon.
[38] anxiety
[39] scare
[40] authorities
[41] obey
[42] struggle
[43] regime
[44] bridges

gresistas [45] quieren es la libertad de morirse de hambre . . . Cuando considero que si no hubiera sido por la *Gloriosa* [46] nuestro ferrocarril casi estaría terminado . . .

— ¡Ya verá usted qué pronto viene la paz!

— Sí, sí . . . ¿Ha leído usted *La Tradición?* (*La Tradición* era un periódico que se publicaba [47] en Nieva los jueves.) Pues cuando lo lea ya verá usted qué paz nos preparan los partidarios [48] del altar y del trono [49] . . .

— ¿Está muy fuerte?

— Poca cosa . . . Dice que todos los buenos católicos [50] deben tomar las armas para matar a los que hoy nos gobiernan [51] . . .

En aquel momento entraba Marta en el gabinete. Al pasar por delante de Ricardo éste la cogió de una mano y la obligó a sentarse sobre sus rodillas sin dejar de atender a la conversación. La niña se sentó sin resistencia y escuchó también en silencio.

— ¿Pero de veras dice eso? — preguntó don Máximo.

— ¡Y tan de veras! . . . Léalo usted. Para mí los carlistas de acá están meditando [52] algún golpe.[53] El comandante [54] general descuida [55] demasiado esta región . . . La fábrica necesita siempre una fuerte guarnición [56] por lo que pueda ocurrir . . .

— Yo no creo que se atrevan nunca a hacer nada por ese lado. Y si no que lo diga el marqués . . .

Ricardo no oyó bien las últimas palabras de don Máximo porque estaba saludando con sonrisa a María que entraba entonces. Después que se hubo sentado cerca de doña Gertrudis y cambiado con él algunas

[45] progressives
[46] Spanish Revolution of 1868 in which Isabel II was deposed
[47] was published
[48] partisans, party men
[49] throne
[50] Catholics
[51] govern
[52] planning
[53] attack
[54] commander
[55] neglects
[56] garrison

miradas, fué cuando recordó la pregunta que le dirigían.

— ¿Qué decía usted, don Máximo?

— Que yo no creo que los carlistas hagan nada contra
5 la fábrica . . . Sería una empresa [57] ridícula.

— ¡Oh! no tanto . . . no tanto como usted se figura, don Máximo . . . Hoy por hoy [58] con la poca guarnición que tenemos no sería un imposible ni mucho menos el sorprenderla . . . ¡Cuántas veces he pensado, haciendo
10 la guardia de noche,[59] que treinta hombres decididos [60] me podían poner en una dificultad! . . . Si pudieran entrar, la cosa estaba hecha, bien pueden ustedes creerlo . . .

— ¿Lo oye usted, hombre, lo oye usted? . . . Pero
15 escucha una cosa, Ricardo, ¿por qué no aprovecháis para la defensa de la fábrica los últimos adelantos [61] que se han hecho en la luz électrica?

— ¿Cómo?

— A mí se me figura que colocando en diferentes sitios
20 de ella unos cuantos focos [62] de luz eléctrica que el oficial de guardia pudiese encender fácilmente, se podría evitar muy bien el peligro de una sorpresa; y si al mismo tiempo se colocase una buena cantidad de campanas movidas igualmente [63] por la electricidad, que produjesen
25 alarma en el pueblo y despertasen a los obreros, que generalmente viven cerca . . . Martita, ¿qué tienes? — exclamó de pronto.

Todos corrieron a ella. La niña, que continuaba sentada sobre las rodillas de Ricardo, se había ido poniendo
30 pálida sin que nadie lo notase. Cuando don Mariano se fijó en ella, estaba blanca como el papel.

— ¿Qué te pasa, hija mía?

[57] undertaking, enterprise
[58] at the present time
[59] guard duty at night
[60] brave, determined
[61] improvements, advances
[62] bulbs
[63] likewise

— ¿Qué tienes, Martita?

— Me siento un poco mal. Dadme un vaso de agua.

María corrió por ella. Don Máximo le tomó el pulso y dijo:

— No es más que un desmayo [64] que se cortará [65] con 5 el agua.

En efecto, después que la bebió y se hubo sentado en el sofá empezó a calmarse, y a los pocos minutos ya estaba completamente bien. Siguió la conversación.

EXERCISES

I. Use the following words and idioms in Spanish sentences:

1. *sin fin* endless, countless number
2. *morado* violet, purple
3. *tener ganas de* to feel like, desire
4. *alrededor* (*adv.*) around, about
5. *fijarse en* to notice
6. *sin embargo* nevertheless
7. *de todos modos* at any rate
8. *conseguir* to succeed in
9. *tener vergüenza de* to be ashamed of
10. *de veras* really, truly
11. *¿Qué tienes?* What is the matter with you?

II. Answer the following questions in Spanish:

1. ¿Qué estación del año es?
2. ¿Qué hacía Marta en el jardín?
3. ¿Había cambiado la figura de Marta? ¿Cómo?
4. ¿Cuántos años tiene ahora Marta?
5. ¿Qué clase de traje llevaba Marta?
6. ¿Qué flores usaba Marta para hacer un ramillete?
7. ¿Cómo ha cambiado Ricardo?
8. ¿De qué trataron de convencerse Ricardo y María?
9. ¿Cuántos ramilletes hace Marta? ¿Por qué?
10. ¿Qué se puso Marta en el pelo?
11. ¿Por qué lloró Marta?

[64] faint [65] will be cut short

12. ¿Estaba irritada Marta?
13. ¿De qué hablaban don Mariano y don Máximo cuando Ricardo entró en el cuarto de doña Gertrudis?
14. ¿En dónde se sentó Marta?
15. ¿Podrían hacer los carlistas algo contra la fábrica?
16. ¿Cómo se podría defender la fábrica?
17. ¿Qué le pasaba a Marta?

WORD STUDY

The initial *es–* of Spanish becomes *s–* in English, as: *esplendor*, *espacioso*, *estudiar*, and *espléndido*. Spanish *f* often becomes *ph* in English, as: *esfera*, and *fotografía*.

8 *Excursión al Moral y a la Isla*[1]

Quince días[2] por lo menos se habló de la excursión al Moral y a la Isla. Durante el invierno las jóvenes de las tertulias de la casa de Elorza habían querido guardar su dinero para los gastos. Don Mariano las dejó guardarlo sonriendo cada vez que le informaban del estado de la caja. Mas cuando llegó la época fijada para la excursión, a presencia de toda la tertulia tomó Don Mariano el dinero del cajoncito donde se guardaba y se lo entregó al cura de Nieva para que lo diese a los que más lo necesitaran.

— ¿Pues qué — exclamó el noble caballero al mismo tiempo; — no es cien veces mejor dedicar este dinero a matar el hambre de algunos pobres, que a un pasatiempo frívolo?[3]

— Es verdad, es verdad — dijeron las niñas poniendo una cara[4] que no hacía, en verdad, recordar las puras satisfacciones de la virtud y las alegrías del justo.

Aquella noche se habló, se cantó y se bailó poco en la tertulia de Elorza. La virtud, severa por naturaleza, no gusta de manifestaciones ruidosas. Muchachos y muchachas expresaban la satisfacción que aquel sacrificio les había inspirado con una serenidad que los hacía silenciosos la mayor parte[5] del tiempo. Grande, pues,

[1] Island
[2] Two weeks
[3] frivolous pastime
[4] making a face
[5] most

debió ser el disgusto que sintieron todos cuando don Mariano les dijo a última hora:

— Señoras y señores: el jueves, a las ocho de la mañana, les agradecería a ustedes en el alma que fuesen al muelle.[6] Nada más fácil que a esa hora los marineros[7] de mi bote de remos[8] se empeñen en llevarnos al Moral.

La tertulia aplaudió: — «¡Qué don Mariano éste! — ¡Siempre ha de tener esas bromas! — El jueves, el jueves, ¿qué tengo yo que hacer el jueves? ¡ah, me parece que nada!»

Y en efecto, el jueves a las ocho de la mañana el bote de remos de don Mariano y otro aguardaban a la gente. Cuatro marineros daban la última mano en cada uno al arreglo. Los señores no aparecían. Por fin vinieron. El primero que saltó fué don Mariano. Las niñas todas fueron saltando después. Los caballeros las siguieron. Una vez lleno el primer bote, pasóse a cargar el segundo, que no tardó también en llenarse. En el primero iban las tres hermanas de Delgado, las de Merino con su hermano Bonifacio, el más agradable de todos los hermanos, y tres o cuatro oficiales de la fábrica, don Mariano, don Máximo, Martita y Ricardo. María no iba porque no quería asistir a[9] ninguna fiesta. Tampoco vino doña Gertrudis. Los marineros iban a salir cuando de uno de los botes salió una voz preguntando:

— ¿Y las de Ciudad?

Faltaban las de Ciudad, pero muy pronto ya habían aparecido las seis señoritas acompañadas de su papá, su mamá y dos hermanitos de menor edad. En los botes ya era imposible acomodar[10] a tanta gente: fué necesario buscar otro bote. Mas al fin todo se arregló. Todo era ruido. Ellos continuaban acercándose a las

[6] dock
[7] sailors
[8] rowboat
[9] to attend
[10] accommodate

casas del Moral que no estaba más que legua [11] y media de Nieva.

Ya podían ver la Isla. Después de una hora llegaron, no sin algún trabajo,[12] a su costa.[13] Después necesitaron subir por un sendero labrado en la roca [14] para encon- 5 trarse al fin en tierra. La Isla no merecía este nombre. Era de dos o tres kilómetros,[15] propiedad de don Mariano de Elorza, que sólo la utilizaba para cazar [16] de vez en cuando.[17] Estaba cubierta de pinos.[18] Don Mariano había construido en el centro una casita a la cual había 10 ido añadiendo poco a poco algunas comodidades. Había solamente un espacioso salón, un comedor, algunas alcobas, y la cocina.

Mientras se preparaba la comida señoras y caballeros salieron, dedicándose a la caza [19] o a la pesca.[20] Los 15 viajeros [21] que no querían hacer esto se sentaban sobre la hierba,[22] contemplando el horizonte,[23] por donde solía cruzar algún barco. Otros estudiaban las flores, y hablaban de los productos de aquellas tierras. Cuando todo estuvo arreglado, don Mariano los llamó y todos 20 volvieron hacia la casa y entraron en el salón, donde se había improvisado una espléndida mesa llena de platos y flores. Buen trabajo y bastante ruido costó sentar a tanta gente, pero al fin se consiguió [24] gracias a la actividad del dueño de la casa. 25

La comida fué excelente. Cuando concluyeron, don Mariano hizo que sacaran las mesas del salón, para que bailasen los jóvenes. Marta, que bailaba con Ricardo, le dijo de pronto:

[11] league (three miles)
[12] trouble
[13] coast
[14] path carved in the rock
[15] kilometers (one kilometer equals about $\frac{5}{8}$ of a mile)
[16] to hunt
[17] from time to time
[18] pines
[19] hunting
[20] fishing
[21] travelers
[22] grass
[23] horizon
[24] it was accomplished

— Aquí hace calor: [25] ¿quieres que salgamos un poco a tomar el fresco? [26]

— Vamos; yo también tengo mucho calor.[27]

Cuando estuvieron en el jardín, le dijo:

5 — Si quisieras hacer conmigo una expedición,[28] te llevaría a un sitio que no conoce aquí nadie más que papá y yo; una playa [29] oculta entre las rocas. Hasta que se está en ella no se la ve . . . Es un sitio precioso . . .

— ¡Vaya si [30] quiero! Demasiado sabes que me gustan 10 los paisajes y sobre todo los de mar . . . ¿Por dónde se va?

— Sígueme . . . ya verás.

Marta fué hacia un bosque [31] de pinos situado no muy lejos de la casa y Ricardo la siguió. Vestía la niña un traje azul, y en la cabeza llevaba sombrero de 15 paja.[32]

— Después que lleguemos a ese bosque vas a experimentar una sorpresa.

— ¿De veras?

— Ya verás, ya verás.

20 En efecto, cuando estuvieron en el bosque y caminaron algún tiempo por él, hallaron una cueva [33] medio oculta por los árboles. Marta sin decir palabra, entró en ella, y en dos segundos desapareció.[34] Ricardo quedó un instante altamente sorprendido; pero una voz sonó 25 dentro.

— ¿Qué es eso; no te atreves a entrar?

— ¿Pero, chica, no ves que puedes hacerte daño?

— ¡Entra, hombre!

— Bien . . . ya que te empeñas . . .

30 Cuando se hubo unido a Marta observó que la cueva se abría bastante y estaba cubierta de arena.[35]

[25] it is hot
[26] fresh air
[27] I am very hot
[28] to take an excursion with me
[29] beach
[30] of course
[31] forest
[32] straw
[33] cave
[34] disappeared
[35] sand

— ¡Oh, no pensé que era tan grande y cómoda! [36]
— Bueno; pues ahora sígueme.
— ¿Adónde? [37]
— Ya lo sabrás, hombre, ya lo sabrás.

Entró por la cueva adelante, que cada vez se iba haciendo más obscura, seguida de Ricardo, el cual no quitaba la vista de ella temiendo a cada instante verla caer o chocar con [38] algo. Por fin desapareció la niña en el fondo obscuro de la caverna, y Ricardo se halló en verdadera obscuridad.

— No tengas cuidado;[39] sigue, que no te pasará nada... Iré hablando para que vengas en dirección de la voz... Si quieres que te dé la mano, te la daré... ¿No?... bueno, pues... Dentro de muy poco tiempo empezarás a bajar... pero es una pendiente [40] suave... ¿Lo ves?... No te quejarás del suelo... aunque uno se cayese [41] no se haría mucho daño... No tardaremos en ver luz... Ten cuidado [42]... ... vete a la derecha, que el camino hace ahora una revuelta [43]... ¡Ya tenemos claridad!

Un punto de luz se veía a los pies de nuestros jóvenes a unas cien varas [44] de distancia. Marta volvió a romper la obscuridad. Oyóse en la cueva un ruido que hacía sospechar la proximidad del Océano. A los pocos minutos salían a la luz.

Ricardo quedó contento ante el espectáculo que se ofreció a su vista. Estaban frente al mar, en medio de una playa rodeada de altísimas rocas. Parecía imposible salir de ella sin arrojarse a las olas [45] que venían a romperse sobre su arena. Nuestros jóvenes fueron hasta el medio contemplando sin decirse una palabra. El cielo,

[36] comfortable
[37] where?
[38] strike
[39] Do not worry
[40] slope
[41] might fall down
[42] Be careful
[43] second turn
[44] about 280 feet
[45] waves

de un azul muy claro, hacía brillar la arena que se inclinaba hacia el mar.

Ricardo y Marta continuaron avanzando [46] hacia el agua. Al acercarse, observaron que las olas crecían.

5 — ¿Te atreves a ir conmigo a la roca que se ve allá abajo, a la derecha? — dijo Marta de pronto.

— Creo que sí;[47] pero te digo que está subiendo la marea [48] y que esa roca quedará rodeada de agua antes de una hora.

10 — No importa; tenemos tiempo para ir a ella.

Dando saltos [49] sobre las rocas llegaron a la roca que avanzaba un poco dentro del mar.

— Sentémonos — dijo Marta. — ¡Cuánto mar se ve desde aquí! ¿no es verdad?

15 Ricardo se sentó a su lado y ambos contemplaron la mar. Cerca de ellos ofrecía un color verde obscuro; en la distancia era azul. Allá en el centro seguía brillando el sol.

Ni uno ni otro hablaron. Gozaban contemplando la 20 majestad y grandeza del Océano con un sentimiento humilde.[50] Se habían acercado uno a otro como si temiesen algo de la presencia de aquel monstruo [51] que gritaba a sus pies. Ricardo había pasado un brazo alrededor de la cintura [52] de la niña como si quisiera 25 defenderla de cualquier peligro.

Por fin, Marta volvió su rostro hacia él y le dijo:

— Dime, ¿me dejas poner la cabeza en tu pecho? . . . ¡Tengo unas ganas de llorar!

Ricardo la miró con sorpresa, pero dijo que sí. La 30 niña le dió las gracias [53] con una sonrisa.

— ¿Te encuentras bien ahora?

— ¡Oh, sí; muy bien, muy bien!

[46] advancing
[47] I think so
[48] tide
[49] taking leaps
[50] humble
[51] monster
[52] waist
[53] thanked him

— ¿Quieres dormir un poco?

— No, no quiero dormir... Déjame... no me hables... ¡si supieras qué bien me encuentro!

Ricardo sonrió satisfecho y le acarició la cara como a un niño. 5

El agua azotó [54] la roca donde se hallaban. Marta hacía rodar sus grandes ojos continuamente por el cielo azul.

— ¡Atiende! — dijo de pronto. — ¿No oyes?...

— ¿Qué? 10

— ¿No oyes entre los ruidos del agua algo como un lamento?

Ricardo atendió un instante.

— No oigo nada.

— No; ya ha cesado... Aguarda un poco... ¿No 15 lo oyes ahora?... Sí, sí, no hay duda... en las cuevas de esta roca hay alguien que se queja...

— No hagas caso, tonta. Son las olas.

— ¡No, no! — exclamó de pronto. — Estáte [55] quieto... Si te movieses ahora me harías mucho 20 daño...

El sol iba rápidamente hacia el horizonte con serenidad majestuosa, sin una nube. La roca donde se hallaban extendía también su sombra sobre el agua, cuyo verde obscuro se iba cambiando poco a poco en negro. 25

— ¿No te duermes? — volvió a preguntar Ricardo.

— Ya te he dicho que no quiero dormirme... ¡Me encuentro tan bien despierta!... El que duerme no sufre, pero tampoco goza... Sólo es bueno dormir cuando se sueñan cosas lindas, y yo no las sueño casi 30 nunca... Ahora me parece que estoy durmiendo y soñando... ¡Te veo de modo tan raro!... Estoy viendo el cielo debajo y el mar encima. Cuando hablas,

[54] struck repeatedly [55] stay

tu voz parece que sale de lo profundo del mar... ¡No cierres los ojos, por Dios, que me haces sufrir!... Se me figura que estás muerto, y que me has dejado aquí sola. ¿No ves los míos qué abiertos están? Nunca tuve 5 menos deseos de dormir que ahora. Oye; acerca un poco la cara. ¿Sentirías mucho que el mar fuese poco a poco subiendo y llegase a cubrirnos?

Ricardo tembló. Observó que el agua empezaba a cerrar el istmo [56] que unía la roca a la costa. Los ojos 10 de Martita, cuando volvió el rostro hacia ella, brillaban con fuego malicioso y raro.

— Vámonos, que ya estamos casi rodeados de agua.

— Espera un poquito... tengo que decirte una cosa... Te la voy a decir muy bajo para que no lo 15 sepa nadie... nadie más que tú... Ricardo, me alegraría de que el mar subiese ahora de pronto y nos sepultase [57] para siempre... Así estaríamos eternamente en el fondo del agua, tú sentado y yo contra tu pecho con los ojos abiertos... Entonces sí, me dor- 20 miría a ratos y tú guardarías mi sueño, ¿no es verdad? Las olas pasarían sobre nuestra cabeza y nos vendrían a contar lo que sucedía en el mundo... Di, ¿no te gusta?

— Calla, Martita; estás loca... Vámonos, que el 25 agua sube.

— Espera un momento... Hace una hora que estamos aquí... y tengo cada vez más calor. No importa... me encuentro bien... ¿Quieres hacerme un favor? Sóplame [58] en la cara a ver si me pasa esta 30 sofocación... ¡Así, así!... ¡Qué amable eres!... Por algo dice todo el mundo que eres muy simpático... Tienes el temperamento un poco vivo, pero a mí me gustan los hombres así... Oye; necesito pedirte perdón.

[56] isthmus [57] bury [58] blow

— ¿De qué?

— De un susto que te he dado el otro día. ¿Recuerdas cuando hicimos juntos un ramo de flores en el jardín? . . . Después quisiste hacerme una caricia y fuí tan estúpida que me puse a llorar . . . ¡Qué sorpresa y qué disgusto 5 habrás tenido! . . . Confieso que soy una tonta y que no merezco que nadie me quiera . . . Sin embargo, bien puedes creerme que no estaba irritada contigo . . . Lloré de sentimiento . . . sin saber por qué . . . ¡Qué motivo tenía yo para llorar! Tú no querías hacerme ningún 10 daño . . . no querías más que besarme las manos, ¿verdad?

— Nada más, hermosa.

— Pues yo tengo mucho gusto en que las beses, Ricardo . . . Tómalas . . . 15

La niña extendió hacia arriba sus lindas manos. Ricardo las besó repetidas veces.

— No basta eso — continuó la niña riendo. — Antes me besabas en la cara siempre que [59] me encontrabas o te despedías . . . ¿Por qué has dejado de hacerlo? 20 ¿Me tienes miedo? [60] . . . Yo no soy una mujer . . . soy una niña todavía . . . Hasta que me ponga de largo tienes derecho a besarme . . . Después ya será diferente . . . Anda, dame un beso en la frente . . .

El joven se inclinó y le dió un beso en la frente. 25

— Ahora dame uno en cada mejilla . . . Aún sigue el calor, ¿no es verdad? . . . Ahora quiero que beses las trenzas [61] de mi pelo . . . Aguarda . . . déjame sacarlas, que estoy acostada [62] sobre ellas . . . A ti no te gusta el cabello negro . . . ya lo sé . . . pero eres muy 30 amable y lo besarás para darme gusto . . .

Ricardo iba besando los sitios que le señalaba. Al

[59] whenever

[60] Are you afraid of me?

[61] braids

[62] lying

fin se detuvo y se puso a jugar con las trenzas negras, azotando con ellas suavemente el rostro de la niña. En los ojos de ésta seguía brillando el mismo fuego malicioso. Sintióse algo turbado [63] y trató de fijar los
5 suyos en el mar, pero ella le dijo sonriendo:

— Si no te irritases te pediría otro aquí — y señaló a sus labios rojos y húmedos.

El rostro del joven marqués se puso rojo. Quedó un instante quieto, y bajando al fin la cabeza unió sus
10 labios a los de la niña con prolongado beso.

Un fuerte soplo [64] de viento había despertado el Océano cuando se preparaba a dormir.

Cuando Ricardo separó sus labios de los de la niña, lo primero que hizo fué mirar alrededor de la roca.
15 Estaban ya rodeados del agua. Levantóse de pronto y sin decir nada cogió a Marta entre sus brazos, y dando prodigioso salto cayó sobre la roca vecina, haciéndose daño un poco en una mano. Marta quedó sin daño y contempló la herida [65] del joven; después, sacando su
20 fino pañuelo,[66] lo ató [67] silenciosamente sobre ella y comenzó a andar con paso rápido. Ricardo la siguió. Los dos marchaban callados. La distancia que los separaba se fué haciendo cada vez mayor, porque Marta ya no andaba, corría. Él estaba irritado consigo mismo.
25 Cuando entraron en el túnel que conducía [68] al bosquecillo de pinos, perdió enteramente de vista a su amiga y hasta dejó de escuchar el ruido de sus zapatos [69] por el suelo. Al hallarse en medio de la cueva en la obscuridad, creyó oírla llorando. Después de salir a
30 la luz, empezó a encontrarse mejor.

Cuando llegaron a la casa supieron que se habían enviado ya varios criados a buscarlos, pues hacía rato

[63] disturbed
[64] gust
[65] wound
[66] handkerchief
[67] tied
[68] led
[69] shoes

que todo estaba dispuesto para la vuelta. La tarde avanzaba y no era muy del gusto [70] de las señoras que las sorprendiese la noche en el mar. Recibiéronlos, pues, con satisfacción, y todo el mundo corrió a acomodarse de nuevo en los botes. 5

Volvieron hacia El Moral. Marta, al entrar en el bote, había perdido los vivos colores de las mejillas.

El sol se acercaba cada vez con más prisa al horizonte. Las señoras veían con miedo crecer la sombra en el cielo como en el mar, dirigiendo miradas a los marineros. 10

En el bote de Elorza se hablaba poco. El marqués de Peñalta había cerrado los ojos y parecía dormido con la mano en la mejilla.

¿Qué pensaba Marta en aquel instante, con la mirada fija en el mar, grave, quieta, y pálida como una estatua? 15

¡Oh! ¡Más fácil es saber el misterio de los ruidos del Océano y los secretos de la brisa,[71] que los pensamientos que oculta la frente de una niña!

El Océano se mostraba en aquel instante lleno de paz. Los ruidos eran más graves y profundos, de una melancolía infinita. La calma melancólica [72] con que el mar se despedía de la luz causó en Marta impresión profunda. Con la cabeza inclinada sobre el agua contemplaba la luz, y atendía a todos los ruidos que sonaban en lo profundo. 20 25

El sol se sumergió [73] enteramente. Nunca había visto al mar tan grande y tan sublime, tan fuerte y bondadoso al mismo tiempo. ¿Quién le había dicho que el mar era terrible? ¿Qué corazón pequeño le había hablado de sus crueles traiciones? ¡Ah, no! El mar era noble y generoso como son los fuertes siempre. 30

—¡Jesús!... ¿Qué ha sido eso?

[70] it was not very much to the liking
[71] breeze
[72] melancholy
[73] was submerged

—¿Quién se ha caído al agua?

—¡Hija mía de mi alma! ¡Marta!... ¡Marta!... ¡Dejadme... dejadme salvar a mi hija!

—Ya está salvada, don Mariano; no hay necesidad 5 de que se arroje al agua.

—¡Cía! ¡cía![74] —dijo la dura voz del patrón.[75] —Echa esa cuerda[76] al agua, Manuel... No asustarse,[77] señores, que no es nada... ¡Ciar más!... Basta... Cojan ustedes la cuerda... Ya no hay 10 cuidado.[78]

La confusión fué muy grande en el primer instante. Ricardo y uno de los marineros se habían echado al agua y nadaban[79] vigorosamente para cubrir la corta distancia que el bote había recorrido[80] antes de que se 15 diera el grito de alarma. Ricardo, que iba delante, se sumergió, y a los pocos segundos volvió a aparecer con la niña entre los brazos. El bote estaba cerca de ellos, y pudo coger la cuerda que le echaban y en seguida el borde[81] del barco. Cuando don Mariano vió a su hija 20 en el bote estaba contento.

Martita se había desmayado.[82] La extendieron en uno de los asientos, y Ricardo, tomando un frasco de éter[83] que don Máximo había traído, se lo puso a la nariz.[84] No tardó en abrir los ojos, y al ver el rostro del joven 25 inclinado sobre ella sonrió dulcemente, y le dijo para que nadie lo oyese más que él:

—Gracias, señor marqués... ¡No se estaba tan mal allá abajo!

Cuando llegaron al Moral se detuvieron en casa de 30 unos amigos, y se pusieron la primera ropa que les

[74] back up
[75] skipper
[76] rope
[77] Do not be frightened
[78] no longer is there danger
[79] were swimming
[80] traveled
[81] edge
[82] fainted
[83] flask of ether
[84] nose

dieron. Después salieron de nuevo y llegaron al muelle con una hora de noche.[85]

EXERCISES

I. Translate the following sentences:

1. No hagas caso del ruido.
2. Por fin llegó la gente.
3. No puedes hacerte daño por entrar en esta cueva.
4. No tengas cuidado, sigue, porque no te pasará nada.
5. Ten cuidado, te vas a caer.
6. Estaban frente al mar en medio de una playa.
7. No importa; tenemos tiempo para ir a ella.
8. De vez en cuando cazaban.
9. Volvió a preguntárselo.
10. Era fuerte y bondadoso al mismo tiempo.

II. Answer the following questions in Spanish:

1. ¿A quién dió don Mariano el dinero que los jóvenes guardaban para la excursión a la Isla?
2. ¿Cuándo debían ir al muelle?
3. ¿Quiénes de la familia de Elorza no fueron a la Isla?
4. ¿Cuántos botes salieron de Nieva para la Isla?
5. ¿A quiénes debían esperar en el muelle?
6. ¿Cuándo llegaron a la Isla?
7. Describa la Isla.
8. ¿Qué hizo la gente después de llegar?
9. ¿Qué hicieron después de la comida?
10. ¿Cómo vestía Marta?
11. ¿Adónde fueron Marta y Ricardo?
12. Describa la cueva en que Marta y Ricardo entraron.
13. ¿Cómo era la playa?
14. ¿Quería dormir Marta cuando estaba en la roca?
15. ¿Cómo trató Ricardo a Marta?
16. ¿De qué hablaron en la roca Marta y Ricardo?

[85] one hour after nightfall

17. ¿Se quedaron mucho tiempo sobre la roca Marta y Ricardo?
18. ¿Se dañó Ricardo al saltar de una roca a la otra?
19. ¿Quién salvó a Marta cuando se cayó al mar?
20. ¿A qué hora volvieron a casa?

VOCABULARY BUILDING STUDY

Translate the following in two ways: *very ugly* and *very long.* Give the adverbial form for the following adjectives: *rápido*, *grave*, and *fácil.*

9 *¡Caso Extraño!*

Los tertulios [1] de don Mariano se divertían [2] con el juego de prendas.[3] La noche estaba bastante desagradable.[4] La hija mayor de los señores de la casa, como de costumbre, no tomaba parte en el juego. Exploraba con los ojos las sombras que envolvían la plaza de Nieva 5
sin atender poco ni mucho a la frívola conversación que los amigos de la casa sostenían.

De pronto creyó oír un extraño ruido a lo lejos.[5] Pronto se convirtió en el ruido de la muchedumbre que marcha. Los amigos de don Mariano se miraron con 10
sorpresa.

—¿Qué vendrá a hacer esta tropa [6] a tales horas? —preguntó una señora.

Un momento después ocurrió en la casa de los señores de Elorza uno de esos sucesos [7] terribles y extraños. 15

Abrióse con violencia la puerta de la sala, y los ojos de la gente vuelta hacia ella vieron con asombro el rostro pálido de un criado que exclamó dirigiéndose a su amo:

—¡Señor, señor!

—¿Qué ocurre? —preguntó don Mariano. 20

—¡Los soldados [8] están ahí!

—¿Y qué tengo yo que ver [9] con los soldados, mozo? —contestó con voz irritada.

[1] guests of the party
[2] were having a good time
[3] forfeits
[4] disagreeable
[5] in the distance
[6] troop
[7] events
[8] soldiers
[9] do I have to do

—¡Es . . . es que vienen a prenderle! [10]

—No es verdad—gritó una voz desde el corredor.

Y al mismo tiempo seis u ocho figuras cubrieron la puerta por detrás del criado. Los primeros que se dejaron 5 ver fueron un oficial muy joven con uniforme de marcha y un caballero.

Por detrás de ellos se veían las armas de algunos soldados. El hombre, que era al parecer quien había hablado, avanzó dos pasos por la sala y sin quitarse 10 siquiera el sombrero, preguntó a don Mariano con tono duro:

—¿Es usted don Mariano Elorza?

—Ante todo,[11] quítese usted el sombrero.

El hombre se quitó el sombrero.

15 —Ahora, ¿qué desea usted?

—¿Es usted don Mariano Elorza?

—No; soy el excelentísimo señor don Mariano de Elorza.

—Es lo mismo.

20 —No es lo mismo.

—Bien, dejemos discusiones: traigo orden de prender a su hija doña María.

Toda la energía del señor de Elorza desapareció de pronto como una sombra al escuchar estas monstruosas 25 palabras. Quedó algunos momentos con la mirada calma, como el que acaba de ver algo raro y no quiere creer sus propios ojos. Después, de pronto, corrió hacia el hombre, y le dijo:

—¿Y quién es usted, insolente, para pensar en cosa 30 semejante?

—Soy el jefe de orden público [12] de la provincia, y le advierto que si usted hace la menor resistencia, haré uso de la fuerza que traigo.

[10] to arrest [11] First of all [12] chief of police

— ¿Está usted bien seguro de que es a mi hija a quien viene usted a prender?

— Sí, señor, traigo orden de prender a la señorita doña María Elorza. Le ruego a usted que me la entregue ahora. 5

— Aquí está — dijo María saliendo del balcón y avanzando hacia el jefe.

— ¡Pero eso no puede ser! — gritó de nuevo don Mariano deteniendo a su hija. — ¡Este hombre está loco o no tiene razón! 10

— ¿Está usted dispuesta a seguirme? — preguntó el oficial a la joven.

— Sí, señor — contestó ésta.

— Pues vamos.

Don Mariano se llevó las manos al rostro y exclamó 15 con un grito de dolor:

— ¡Hija mía de mi alma! ¿qué has hecho?

— Nada que pueda deshonrarme [13] ni deshonrarte — contestó la niña levantando su rostro hermoso, y saliendo rápidamente del salón. 20

Don Mariano fué detenido por todos sus amigos que le habían rodeado; pero viéndose inmediatamente solo, porque todos, advertidos por un grito de Marta, corrieron a ayudar a doña Gertrudis, casi desmayada, se arrojó como un relámpago fuera de la sala. 25

EXERCISES

I. Translate into English:

1. Acaba de quitarse el sombrero.
2. Por detrás de ellos se veían las armas.
3. De nuevo gritó su padre. — Eso no puede ser.
4. ¿Qué tiene usted que ver con los soldados?

[13] dishonor me

5. Don Mariano fué detenido por todos sus amigos.
6. El hombre está loco o no tiene razón.
7. Seis u ocho oficiales vinieron a la puerta.
8. El hombre, que era al parecer el que había hablado, avanzó dos pasos.

II. Answer the following questions in Spanish:

1. ¿A qué jugaban en la tertulia de los Elorza?
2. ¿Quiénes vinieron a prender a María en casa de los Elorza?
3. ¿Qué le dijo el señor de Elorza al oficial?
4. ¿Qué orden trajo el oficial?
5. ¿Quién era el oficial?
6. ¿En dónde estaba María?
7. ¿Qué respondió María cuando su padre le preguntó: «¿Qué has hecho?»
8. ¿Saldría ella con los soldados?
9. ¿Por qué no salió don Mariano?

WORD STUDY

The Spanish ending *–miento* becomes *–ment* in English. Translate: *movimiento*, *regimiento*, and *sentimiento*. The Spanish past participle ending *–ado* is changed to *–ated* in the following: *indicado*, *situado*, *imitado*, *irritado*, *animado*, and *vibrado*. *In* and *im* are negative prefixes in Spanish. Translate: *infeliz*, *inútil*, and *impaciencia*. *Des* is also a negative prefix in Spanish and becomes *dis* in English as in: *desapareció*, *desagradable*, and *deshonrar*.

10 *Antecedentes*

Algún tiempo antes de los sucesos que acabamos de contar, los amores de Ricardo y María, que habían ido desapareciendo gradualmente como las notas de una hermosa melodía, hasta el punto de no saber el mismo Ricardo si realmente existían o se habían muerto por completo, si aún era el novio de la hija mayor de Elorza, o si no tenía sobre su corazón otros derechos que los que se conceden a un antiguo y estimado amigo; estos amores, decimos, habían cobrado,[1] sin que nadie supiese la razón, inesperada[2] vida. Todos se mostraban sorprendidos de verlos juntos hablando como antes larguísimos ratos, viviendo en ese cielo que los novios encuentran tan fácilmente.

El hecho era que las cosas habían cambiado sin saber por qué, y que señoras y caballeros se alegraban de ello, esperando que los nobles novios les proporcionasen un día agradable. El contento de don Mariano era grande. Doña Gertrudis, como de costumbre, encontraba muy bien la conducta de María.

Cierta mañana, en que el joven marqués de Peñalta se despertó[3] más temprano que otras veces, observando por el balcón de su cuarto que el cielo estaba claro, contra su costumbre, decidió pasearse por el pueblo, y pensando y haciendo se vistió rápidamente y se fué a la calle para buscar aire puro. Mas antes de salir del

[1] regained [2] unexpected [3] woke up

pueblo y cruzando por delante de la casa de Elorza, se encontró con María que iba hacia la iglesia con su criada. La niña le encontró con alegría.

—Tú te habrás levantado temprano para oír misa.

—¡Oh!, no—contestó Ricardo sonriendo,—salía a pasearme por el campo, que debe de estar muy hermoso.

—Bien, pues hoy no hay paseo; te llevo conmigo a misa—dijo la niña. Le tomó por la mano y le llevó cogido de esta manera unos cuantos pasos.

¡Tenía suerte[4] Ricardo; qué otra cosa mejor podía desear en aquel momento que verse llevado de tal manera! No supo decir palabra en los primeros momentos.

—¡Oh María, si supieses qué feliz me haces!—le dijo en voz baja y temblorosa.—Si tú quisieras llevarme ¿adónde no iría yo contigo? Tú no puedes comprender cuánto deseo que me hables, que me sonrías, que me dirijas. Busco los medios de hacerte feliz y no los encuentro. Dime con qué puedo darte gusto, con qué puedo deshacer la indiferencia que seca nuestros amores. Y lo buscaré aunque sea a costa[5] de mi vida. Si no te quisiera más que a ningún otro ser de este mundo, tanto como el recuerdo de mi madre, ¡cuánto tiempo hace que hubiera huido de ti para siempre!... Pero es mi amor, tan fuerte, tan vivo que ha conseguido[6] concluir con todo mi orgullo... y temo que llegue a concluir con mi dignidad—añadió.

La joven le miró fijamente, agradecida y sorprendida de tan sincero cariño, y contestó:

—Para darme gusto, vendrás a misa conmigo, ¿no es verdad?

—Sí, querida mía.

—¿Vendrás mañana también y todos los demás[7] días?

[4] was lucky
[5] at the cost
[6] succeeded in
[7] other

— Sí, hermosa; no deseo otra cosa.[8]

— ¡No sabes lo que me alegro, Ricardo!

— ¿De veras?

— Sí; te quiero mucho, pero te quiero bueno y religioso, porque antes que en todo lo demás debemos 5 pensar en nuestra salvación y en hacer el mayor bien que podamos en este mundo.

— Escucha, María . . . ya sabes que no soy ni he sido nunca uno que no cree en Dios . . . Es verdad que he mirado con cierta frialdad [9] los ejercicios religiosos, pero 10 también debes saber que éste es un vicio frecuente en los jóvenes y particularmente entre soldados . . . Por lo demás, te digo con toda la sinceridad de mi alma, jamás me ha abandonado la fe que mi santa madre me dió en la niñez. Aún suenan en mis oídos sus consejos 15 y aún podría repetir la multitud de oraciones que me hacía decir de rodillas sobre la cama a la hora de acostarme . . . Esto no se puede olvidar, María . . . ¡sería un infame si lo olvidase! . . . Sí, hermosa mía, soy religioso por nacimiento y por convicción, y espero 20 serlo aun más si me ayudas . . . Dime lo que quieres que haga en este punto y lo haré . . . Dime lo que quieres que piense, y lo pensaré . . . Soy todo tuyo, en cuerpo y en alma . . .

— Así, así te quiero yo . . . Pero no has de ser re- 25 ligioso por amor mío, porque entonces no tiene mérito alguno, sino por amor de Dios. Si me quieres mucho, quiéreme en Dios y por Dios, como yo te quiero a ti. Ahora te quedarás debajo del coro [10] para oír la misa; yo me voy a poner cerca del altar. ¡No me mires una 30 sola vez!

— No, no te miraré aunque sea difícil.

— Dame tu palabra de que lo harás así.

[8] anything else [9] coldness [10] choir

— Te la doy.

— Bien, pues adiós . . . hasta luego [11] . . . Espérame a la salida.

Desde entonces [12] el marqués de Peñalta acompañó 5 todas las mañanas a misa a la hija mayor de los Elorza, separándose de ella a la puerta de la iglesia y volviendo a juntarse [13] a la salida. María se mostraba recibir mucho placer de este acompañamiento.

Poco a poco la influencia de ésta empezó en poco 10 tiempo a cambiar notablemente sus ideas y no sólo sus ideas sino también sus costumbres y manera de vivir. Comenzó a abandonar las diversiones ruidosas y hasta la compañía de los demás oficiales de la fábrica. Se retiraba temprano a casa, y frecuentaba las igle-15 sias.

En esta época el clero [14] y las tendencias religiosas de nuestro pueblo sufrían cierta persecución por el gobierno de los liberales, y había en las provincias del Norte una guerra civil. Todas las personas religiosas hablaban de 20 los derechos de un pretendiente al trono. Existían bastantes elementos al servicio de la causa católico-monárquica. En Nieva decidieron levantar una partida [15] de soldados. Las preparaciones continuaron hasta la primavera.

25 Solamente unos treinta jóvenes con don César Pardo se dirigieron a la montaña,[16] pero al día siguiente [17] doce guardias civiles los sorprendieron, y sin que pudieran hacer resistencia, los trajeron al pueblo atados, y los pusieron en la cárcel.[18]

30 Un suceso vino a decidir a María a ayudar a la causa. Su tío Rodrigo, marqués de Revollar, que era uno de los hombres más importantes de la corte [19] del Pre-

[11] see you later
[12] From then on
[13] meeting each other
[14] clergy
[15] squad
[16] mountain
[17] the next day
[18] jail
[19] court

tendiente, le escribió desde Bayona [20] preguntándole si serviría de intermediario de la correspondencia entre él y don César Pardo, presidente de la junta [21] carlista. María contestó que tendría en ello mucho gusto, y desde entonces empezó a recibir con frecuencia cartas de su 5 tío dentro de las cuales venían otras para don César, que eran, a no dudarlo, el hilo por donde la conspiración [22] carlista de Nieva se unía a las altas esferas [23] de donde partían las órdenes.

Después del fracaso [24] de don César, los carlistas de 10 Nieva quedaron sin ánimo.[25] María le pidió a Dios que ayudase a los defensores [26] de la fe. Don César y la mayor parte de los jóvenes que con él fueron enviados a las Islas Canarias,[27] huyeron en un vapor [28] extranjero y volvieron a su país, ocultándose en las 15 casas de los amigos fieles. Los hombres con don César querían tomar la fábrica de armas de Nieva. Una tarde se presentó María en la casa donde don César se ocultaba y quiso hablarle. Lo que la joven le dijo debió ser tan importante que el viejo le dijo: 20

— Hija mía, usted va a ser nuestra salvación. Dios quiere poner en sus manos la suerte de muchos valientes y ¿quién sabe si también el triunfo de su causa?

Volvió a casa la joven y retiróse a su cuarto, donde rezó largo rato, y después bajó a la habitación de su 25 madre. No tardó Ricardo en llegar, como tenía por costumbre. Después de algunos momentos de conversación general, doña Gertrudis empezó a dormir y los dos jóvenes se retiraron al balcón a decirse los dulces secretos de todos los días. María estaba preocupada. 30 Su novio lo notó en seguida.

[20] Bayonne, city in southwestern France
[21] council
[22] by which the conspiracy
[23] spheres
[24] failure
[25] courage
[26] defenders
[27] Canary Islands, Spanish possession off the northwest coast of Africa
[28] steamship

—¿Qué tienes hoy?... Parece que estás agitada[29]...

—Me siento triste, Ricardo... me siento triste como si fuese a sucederme una desgracia.

5 —Son los nervios que trabajan demasiado en ti, querida. No comes bastante. ¿Pero tienes acaso algún motivo de disgusto?

María guardó silencio[30] y Ricardo también.

Al cabo, María volvióse hacia su novio, y le dijo con 10 voz que temblaba:

—Ricardo, ¿me quieres mucho?

—¿Cómo me preguntas eso?... ¿No lo sabes bien?

—Sí, sé que me quieres,... pero en el amor, como en todo lo que no pasa de este mundo, hay siempre más 15 y menos. Sólo el amor divino es infinito. El que me tienes ha resistido bien a ciertas pruebas; ¡quién sabe si podrá resistir a otras!

—El amor que te tengo—dijo el joven marqués poniendo la mano sobre el corazón—tiene fuerza para 20 resistir a todas las pruebas.

—¿A todas?

—A todas.

—¿Y si yo te pidiese la vida?

—¡Bah, bah!—contestó—eso sería pedir muy poco.

25 María sonrió con satisfacción, y después de un rato preguntó tímidamente:

—¿Y si te pidiese el honor, o lo que vosotros los hombres entendéis por honor?—añadió.

Ricardo se puso pálido y tardó algún tiempo en con- 30 testar. Al fin dijo en voz más baja y con calma:

—El honor, querida mía, no nos pertenece; es un depósito que el cielo pone en nuestras manos al nacer y del cual nos pide cuenta al morir.

[29] agitated [30] kept silent

Un relámpago de indignación pasó por los ojos de María al escuchar estas palabras.

—¿Y quién os ha dicho a vosotros lo que el cielo os deja y os pide, y por qué mezcláis [31] al cielo en cosas que pertenecen muchas veces [32] al infierno? [33] 5

Pero calmándose inmediatamente y añadiendo a sus palabras un tono dulce y persuasivo, dijo:

—Lo que el cielo confía al hombre al nacer nadie puede revelarlo [34] más que la Religión, y ésta nos dice que el hombre pone no pocas veces su honor en lo que 10 debiera considerar como su ruina y perdición... Generalmente lo que el mundo más desea va contra la ley de Dios. Por eso debemos hacer muy poco caso de ese pretendido honor. El verdadero honor del cristiano consiste únicamente en servir a Dios y cumplir sus 15 santas leyes. Escucha, Ricardo... Cuando te preguntaba si me amabas mucho es porque tenía necesidad de saberlo... Voy a hacerte una confesión, después de la cual, si eres tan virtuoso y tienes tanta fe como puedo exigir de ti, tal vez me ames más... Si tu fe 20 es fría y pagas tributo a las frívolas consideraciones del mundo, seguramente me amarás menos y quizá llegarás a huirme...

—¡Eso nunca!

—Aguarda un instante... Figúrate que tu novia se 25 mezcla en asuntos de los hombres... por ejemplo, en política... Y no sólo se mezcla con el pensamiento y la palabra, sino que toma en ella una parte activa. Figúrate que entra en una conspiración y trabaja mucho para que triunfe su causa... y pone en peligro su vida 30 o su libertad para conseguirlo...

—¿Verdad?

[31] do you mix
[32] often
[33] hell
[34] reveal

—Sí—dijo con resolución;—yo estoy unida con toda mi alma a una conspiración...yo trabajo con todas mis fuerzas por el triunfo de la causa de los buenos... ¡Bien sabe Dios que no me importa nada 5 que gobiernen unos u otros! Pero he visto y estoy viendo en peligro la salvación de muchas almas. Por eso me interesan los asuntos políticos.

—Yo no sé nada—dijo Ricardo.

—¡Ves cómo tenía razón! Ahora que me he con- 10 fesado contigo y te he dicho mi secreto, ya no me quieres y no tardarás seguramente en alejarte de mí y dejarme abandonada.

La última palabra de la joven hizo levantar vivamente[35] la cabeza a Ricardo, quien, algo grave, con- 15 testó:

—¿Y qué es lo que te ha movido a confiarme todas estas cosas que tanto reservaste hasta ahora?

—Ante todo perdóname que no te las haya confiado antes. Eran secretos que no me pertenecían... Ade- 20 más, temía que no pensases como yo y levantases alguna objeción a mis planes... Pero hoy has cambiado mucho; eres más religioso y amas el nombre de cristiano que posees. Por eso decidí abrirte enteramente mi alma y poner en tus manos fieles y seguras la vida de muchos 25 hombres generosos... Yo soy muy débil, Ricardo mío; no soy más que una pobre niña que no puede luchar[36] ni resistir... ¡No me abandones...por Dios, no me abandones!...

El joven vió el peligro mucho más próximo y exclamó:

30 —¡Acabemos, María, y sepamos de qué se trata!

—Se trata de algo que puedes hacer para salvarte si abandonas el mundo y vienes a la causa del cielo... En este pueblo existe un arma que en vez de servir a

[35] quickly [36] struggle

Dios, como todo el mundo debe servir, ayuda al diablo. Esta arma es la fábrica de armas . . . María se detuvo un instante, y añadió con voz temblorosa: Tú puedes poner esta arma en manos de Dios, entregando la fábrica a los defensores de la Religión, y . . . 5

Se detuvo otra vez mirando con susto al joven marqués, que cogiéndola del brazo gritó más que dijo:

—¿Quién te ha dado la idea de proponerme *eso?* . . . Respóndeme . . . ¿Quién ha sido el miserable que te dió consejos? . . . ¡Quiero ir ahora a verle! Dímelo, 10 dímelo, María . . . De ti no ha nacido ese pensamiento . . . Tú no has podido pensar que tu prometido, el marqués de Peñalta, el descendiente de tantos caballeros nobles, un soldado honorable pudiera escuchar con calma semejante proposición . . . Tú no has podido 15 imaginar que el hombre que te adora sea un cobarde traidor.[37] Sólo así te puedo perdonar las horribles palabras que acabas de decir . . . Oye, por Dios, María . . . Escucho dentro de mí una voz que me anuncia una gran desgracia. Pues bien,[38] en este momento te digo 20 que te quiero con toda mi alma . . . hasta dar por ti la vida con gusto . . . pero si el amor que te tengo se multiplicase [39] por mil, lo mataría . . . ¡Qué te digo! . . . Prefería condenarme [40] con los fieles a salvarme con los traidores.[41] 25

María bajó la cabeza. Al cabo pudo decir débilmente:

—No me entiendes, Ricardo, ni yo te entiendo tampoco. Para ti el nombre de valiente, la fama de fiel y de noble es lo primero. Para mí lo principal es la salvación del alma . . . Perdóname si te he ofendido, y 30 que ese honor te sirva para no recordar jamás lo que hemos dicho.

[37] treacherous coward
[38] Well then
[39] should be multiplied
[40] to condemn myself
[41] traitors

Ricardo la miró tristemente. Acababa de comprender que aquella mujer no podía ser suya; que en aquel corazón él ocupaba un lugar que no era muy importante. Una lágrima saltó a sus ojos.

5 — Tienes razón, María, . . . no te comprendo . . . Mi padre fué un hombre de honor, y tampoco te comprendería . . . Mi abuelo fué un soldado que perdió la vida defendiendo su país, y tampoco te comprendería . . . Pero mi padre y mi abuelo se ofenderían, como yo me 10 ofendo, de que alguno les recordase que debían guardar los secretos que se les confiaba.

Ambos guardaron silencio mirando tristemente la gran plaza de Nieva, que las sombras de la noche empezaban a ocultar.

EXERCISES

I. Translate into English, noting the words in italics:

1. *Por completo* estaban desapareciendo los amores de Ricardo y de María.
2. *Tiene suerte* porque hoy ha encontrado mucho dinero.
3. Si hay *otra cosa* que quieras, dímelo.
4. *En cuanto a* su hermano, no es necesario decírselo todo.
5. *Al día siguiente* salieron muchos jóvenes para la montaña.
6. *Por eso* me interesan los asuntos políticos.
7. *Ya no* me quieres, y *no tardarás en* alejarte de mí.
8. Acabemos *de una vez*, y sepamos *de qué se trata.*
9. Así te puedo perdonar las palabras que *acabas de decirme.*
10. *Al cabo* pudo decir débilmente: — no me entiendes.

II. Answer in Spanish:

1. ¿Cómo habían cambiado los amores de Ricardo y de María?
2. ¿Cuánto amaba Ricardo a María?

3. ¿Adónde le llevó María a Ricardo?
4. ¿Cuáles son las ideas de Ricardo acerca de la religión?
5. ¿Es religioso Ricardo?
6. ¿Cómo ha cambiado la vida de Ricardo?
7. ¿Cuántos guardias civiles llevaron a los hombres de don César a la cárcel?
8. ¿Cómo ayudó María a la causa del pretendiente?
9. ¿De dónde escapó don César?
10. ¿Cuál era el propósito de don César?
11. ¿Qué le pasaba a María?
12. ¿A quién pertenece el honor según Ricardo?
13. ¿Qué idea del honor tiene María?
14. ¿Puede entregar Ricardo la fábrica de armas a los defensores de la religión?
15. ¿Podía casarse Ricardo con María?

VOCABULARY STUDY

Give the diminutive form of the following: *pájaro*, *casa*, *mamá*, *pequeño*, *pronto*, *hermano*, *poco*, *Marta*, *cajón*, *quieto*, *mesa*, *chico*, *ventana*, and *bosque*.

11 *En Que Se Narran*[1] *los Trabajos de Una Virgen Cristiana*

El comandante general, que la república española tenía en la provincia de ——, era bastante cruel. Lo primero que hizo, cuando tuvo noticia de que los carlistas de Nieva preparaban una rebelión y pensaban 5 nada menos que tomar la fábrica de armas, fué llamar al comandante Ramírez y decirle:

— Necesito que antes de una hora salga usted con dos compañías y acompañado del inspector de policía para Nieva; y en cuanto llegue usted allá me prenda 10 usted y me traiga atadas a todas las personas que van nombradas en ese papel.

— Está bien, mi general.

— Para eso no es necesario más que media compañía. Usted, con los otros de la fuerza, se pone a las órdenes 15 del coronel[2] director hasta que yo disponga otra cosa.

— Está bien, mi general.

— Vaya usted con Dios.[3]

La noche en que las dos compañías llegaron a Nieva, era la señalada por los amigos de don César para dar 20 el grito de guerra y tomar la fábrica. Don César no dudaba del buen éxito[4] de su plan, pero tuvo mala suerte.

[1] are narrated
[2] colonel
[3] Good-bye
[4] success

A las once de la noche el comandante Ramírez y el inspector de policía tenían presos [5] ya a todas las personas de la junta y a diez o doce de los más famosos carlistas de Nieva, los cuales atados y guardados por media compañía, según las instrucciones del comandante general, esperaban debajo de los soportales del Ayuntamiento [6] la orden de marcha. La única mujer que iba entre ellos era María. En vano don Mariano, con lágrimas en los ojos, le pidió al jefe de la fuerza que le permitiese llevarla en un coche. El comandante Ramírez manifestó que sentía muchísimo no poder hacer eso.

Don Mariano no quiso dejar a su hija. Aunque no llovía en aquel momento, la noche estaba muy húmeda. En el pueblo sabían ya casi todos lo que pasaba y muchos ocupaban los balcones.

Pronto dejaron las últimas casas del pueblo y entraron en la carretera.[7] El cielo seguía negro. El teniente,[8] que era un joven de veinte años bastante simpático, dió la orden de colocarse en dos filas [9] dejando a los presos en el medio. Al poco rato comenzó a llover fuertemente.[10] Don Mariano, que no había dicho una palabra a su hija, abrió el paraguas para cubrirla, murmurándole en el oído:

—¡Hija mía! ¿Tienes frío? [11] ¡Oh, me las pagará ese bruto! Iré a Madrid a ver al ministro de la Guerra y conseguiré mandarle a una cárcel. ¿Te entra el agua por algún sitio, corazón mío? ¡Mandar traer atada a mi hija!... Si te pones enferma, le mato... Pero a ti, ¿quién te ha metido en estos asuntos sin mi permiso? [12] ¿Qué tienes tú que ver con los carlistas ni con los republicanos?... Una niña bien educada se está en su

[5] held prisoners
[6] City Hall
[7] highway
[8] lieutenant
[9] rows
[10] heavily
[11] Are you cold?
[12] permission

casa quietecita, cuidando de las camisas [13] de su padre y haciendo calceta . . . ¿estamos? [14] . . . y haciendo calceta . . . ¡Mandar traer atada a mi hija! . . .

— Cálmate, papá . . . cálmate, por Dios . . . Voy perfectamente . . . Cuando se sufre por Dios el sufrimiento se convierte en placer. Nunca me he sentido tan bien como en este momento . . . Lo único que me hace sufrir es verte disgustado . . . ¡Ay, papá, cuánto daría para que tu fe fuese tan viva y ardiente como la mía, para que despreciases todos los dolores de la tierra y marchases tranquilo y contento como yo marcho adonde Dios quiera llevarme!

Cesó de llover al fin. Los presos no cambiaban entre sí palabra alguna. Al fin la luna había parecido entre dos nubes. Después de caminar bastante tiempo por el medio del valle, los presos llegaron a las montañas.

De pronto, oyóse el disparo de un fusil.[15] Un soldado vino a tierra.[16] Casi al mismo tiempo el grito formidable de *¡Viva Carlos Séptimo!* [17] se oyó. Al levantar la cabeza vieron todos no a mucha distancia y en pie sobre una de las rocas que dominaban el camino, a un hombre de grandes bigotes blancos. Los presos reconocieron inmediatamente en él al presidente de la Junta, don César Pardo. El teniente mandó hacer fuego;[18] pero no le mataron.

— ¡Viva Carlos Séptimo! — gritó otra vez.

— ¡Segunda fila, hagan fuego! — dijo el teniente.

Tampoco se consiguió nada. Don César disparó [19] de nuevo gritando:

— ¡Viva la religión!

Entonces el teniente mandó con voz furiosa:

— ¡Fuego!

[13] shirts
[14] do you understand?
[15] shot of a gun
[16] fell to the ground
[17] Long live Charles VII, 1848–1909
[18] fire
[19] fired

El solitario enemigo ni huía ni caía. En pie sobre la roca, sin tratar siquiera de ocultarse detrás de alguna piedra, seguía disparando su arma, repitiendo siempre con voz terrible:

—¡Viva Carlos Séptimo! ¡Viva la religión! ¿Me conocéis? —gritó sin dejar de hacer fuego. —Soy don César Pardo, cristiano viejo y carlista de los pies a la cabeza.[20]

—¡Eres un ladrón![21] —contestó un soldado.

—¡Allá va!

—¡Nada!

—Haced lo que queráis, muchachos... ¡A matar ese perro! —gritó el teniente.

El teniente disparó sobre don César y le hirió. Al fin un soldado le mató.

Lo mismo los soldados que los presos caminaban silenciosos y tristes, profundamente impresionados[22] por el trágico suceso que acaba de ocurrir.

María dijo con voz alta:

—Por el alma de don César Pardo: «Padre nuestro que estás en los cielos, santificado[23] sea el tu nombre; vénganos el tu reino,[24] hágase tu voluntad así en la tierra como en el cielo.»

Los presos contestaron rezando con fervor. Algunos soldados hicieron lo mismo. Por último, eran las ocho de la mañana cuando vieron las casas de la ciudad.

Las personas de la capital habían tenido noticia del golpe que su gobernador[25] había dado a los carlistas de Nieva, y una gran muchedumbre, reunida en las calles, esperaba para ver a los presos. Los presos caminaban con la cabeza baja y el rostro encendido.[26]

[20] from head to foot
[21] thief
[22] impressed
[23] hallowed
[24] kingdom
[25] governor
[26] inflamed, red

—¿Quién es la mujer que viene entre ellos? Dicen que es una santa.

Los presos continuaron tranquilos hasta la cárcel donde los alojaron [27] en una gran sala bastante sucia.[28] A María se le concedió un cuarto independiente.

La hora para aparecer ante el Consejo [29] de guerra eran las doce. Los oficiales que lo componían estaban sentados detrás de una larga mesa. Se hallaba allí el gobernador que se había empeñado en llevar de un modo rápido y violento el asunto.

Fueron introducidos los presos uno por uno en la vasta sala del Consejo. El capitán [30] les fué tomando declaración. Las personas de la junta carlista de Nieva fueron declarando como mejor les convenía, negando la mayor parte de los hechos, afirmando otros y haciendo, en fin, todo lo posible para salir absueltos.[31] Cuando María empezó a hablar, el general sonrió sarcásticamente y dijo con ironía:

—Tenga usted la amabilidad de acercarse, señorita, y de contestar a las preguntas que este caballero capitán va a dirigirle.

—¿Cómo se llama usted? —dijo el capitán.

—María de Elorza y Valcárcel.

—*De dee dee* —murmuró el general. —¡Siempre las mismas vanidades aristocráticas!

—Se la acusa a usted de servir de intermediaria en la correspondencia entre el marqués de Revollar, ministro y consejero del Pretendiente, y el jefe don César Pardo. Además, se la acusa a usted de haber asistido y tomado parte en varias reuniones [32] que los conspiradores [33] de Nieva han celebrado. En estas reuniones usted ha animado a la rebelión. Se dice que usted ha

[27] lodged
[28] dirty
[29] council
[30] captain
[31] acquitted
[32] meetings
[33] conspirators

bordado el estandarte y que ha ocultado ropa en su casa y también que ha dado dinero.

El capitán dejó de hablar. Hubo unos instantes de silencio. El general dijo con impaciencia:

— ¡Vamos . . . conteste usted! ¿Son ciertos los hechos de que se la acusa? 5

María, con la mirada serena, respondió:

— Todo cuanto acaba de manifestar el señor es la pura verdad. Es verdad que he servido de intermediaria en la correspondencia entre mi noble tío el marqués de Revollar y el bravo don César Pardo (que Dios tenga en gloria). Es cierto que he asistido a reuniones donde se conspiraba contra el gobierno que hoy existe y que he tratado de animar a los conspiradores al combate, y es cierto igualmente que he bordado el estandarte para los defensores de la fe. También es verdad que les he dado el dinero que pude, pero no es exacto que haya ocultado solamente en casa de mi padre ropa; he ocultado también armas. 10 15

Los oficiales del Consejo quedaron sorprendidos. 20

— Oiga usted, señorita, ¿sabe usted con quién está hablando? ¿Sabe usted que soy el gobernador militar [34] de la provincia? ¿Sabe usted que quiero mandarla a usted a la cárcel y tenerla allí a pan y agua hasta que se muera? ¿Lo sabe usted, eh? . . . ¿lo sabe usted? . . . ¿Eh? . . . ¿eh? 25

— Sé perfectamente — contestó María, — pero digo lo mismo.

— Bien; ya que usted ha tenido la franqueza de confesar que ha tomado parte en la conspiración, esperamos que siga siendo tan franca y nos declare todas las circunstancias de ella y los nombres de las personas que han tomado parte. 30

[34] military

—¡Oh! no, ... eso no puede ser. Yo declaro y confieso mis actos, pero no puedo confesar los de los demás. Aunque ellos me dieran permiso, bien pueden ustedes estar seguros de que no lo haría, pues me parece pecado 5 dar a los impíos [35] armas para matar a los buenos cristianos ...

—¡Esto ya no se puede sufrir!—dijo el general. —Vamos a ver, señorita: ¿usted cree que yo no dispongo de medios para hacer que usted me lo diga? 10 Diga usted prontito lo que sabe.

—Señor presidente, me hallo resuelta [36] a no decir una sola palabra que pueda comprometer [37] a mis amigos los defensores de la fe de Jesucristo. Haga usted de mí lo que quiera.

15 —¡Rayo de Dios!—gritó el general.—A ver, que lleven inmediatamente a esta joven a la cárcel y la pongan incomunicada [38] hasta nueva orden ...

Los oficiales hablaron entre sí un poco. Luego, el general un poco calmado en voz alta dijo:

20 —Todas las noticias que esta chica puede dar las conocemos nosotros, y algunas más. Oiga usted, ordenanza,[39] vea usted si anda por ahí [40] el padre de esta joven y hágale usted entrar.

A los pocos instantes entró don Mariano.

25 —Me veo en el caso de [41] decirle a usted, señor de Elorza—manifestó el general,—que tiene usted una niña muy mal educada, y que gracias a que no figura usted como carlista y a nuestra benevolencia, no adoptamos con ella las medidas [42] de rigor que merece. Puede 30 usted llevársela cuando quiera [43] a casa, respondiéndonos

[35] impious people
[36] determined
[37] compromise
[38] in solitary confinement
[39] orderly
[40] over there
[41] I am obliged
[42] measures
[43] whenever you wish

antes, de que no volverá a meterse [44] en conspiraciones . . . ¿estamos? . . .

Don Mariano salió inmediatamente de la sala con María, yendo a alojarse a casa de unos parientes.[45] Por la tarde fueron a Nieva, llegando a su casa cuando 5 ya cerraba la noche.[46]

EXERCISES

I. Translate, noting the idioms in italics:

1. ¿Qué *tienes tú que ver con* los carlistas?
2. Gritó sin *dejar de* hacer fuego.
3. Caminaban tristes a causa de lo que *acaba de ocurrir.*
4. Hubo unos instantes de silencio y luego añadió: — *me veo en el caso de* decirle . . .
5. *He tratado de* animar a los soldados al combate.
6. No *volverá a* meterse en conspiraciones.
7. Ya *cerraba la noche* cuando llegaron a casa.

II. Answer in Spanish:

1. ¿Cuál era la orden que el comandante general dió al comandante Ramírez?
2. ¿A quiénes tomó presos Ramírez?
3. ¿Quién era la única mujer?
4. ¿Por qué fué don Mariano con los soldados?
5. ¿Qué tiempo hacía?
6. ¿Qué debía hacer una niña bien educada?
7. ¿Qué gritó don César desde una roca?
8. ¿Quién le mató a don César?
9. ¿Qué rezó María y al fin los otros?
10. ¿A qué hora llegaron a la capital?
11. ¿A qué hora aparecieron ante el Consejo de guerra?
12. ¿Cómo sirvió María a los defensores de la fe?
13. ¿Figura como carlista don Mariano?
14. ¿Cuándo volvieron a casa María y su padre?

[44] will not meddle [45] relatives [46] it was nightfall

WORD STUDY

Give the augmentative form of the following: *caja*, *silla*, and *sala*.

Give the Spanish of the following nouns and adjectives: *sympathy*, *sympathetic;* *virtue*, *virtuous;* *splendor*, *splendid;* *interest*, *interesting;* *noise*, *noisy;* *religion*, *religious;* *fame*, *famous;* and *elegance*, *elegant*.

12 *El Sueño del Marqués de Peñalta*

Cuando se detuvo el coche, don Mariano conoció en el rostro del criado que salió a abrir la puerta que doña Gertrudis estaba muy enferma.

— ¿La señora? . . . — preguntó.

— La señora se encuentra en cama. 5

— Pero qué, ¿tan mala está? — exclamó el infeliz don Mariano.

— Ha tenido algunos ataques[1] desde ayer por la noche y se encuentra bastante débil.

Marta no consintió que ninguna criada pusiera la 10 mano en su madre: todo lo hizo ella, sin ruido, como si en toda su vida no hubiese hecho otra cosa. El médico temió seriamente un mal resultado. María envió por el confesor.

A las dos se repitió el ataque. El estado de doña 15 Gertrudis iba siendo cada vez más grave. Al poco rato, Martita advirtió que tenía las manos frías y lo manifestó en voz alta. Ella fué a incorporarla,[2] y dando un grito la dejó caer sobre la almohada.[3] La señora de Elorza tenía los labios rígidos. 20

Solo con el dolor, el señor de Elorza sintió más viva su tristeza y más profunda su desgracia. Al cabo notó que la puerta se abría suavemente. Volvió la cabeza y

[1] attacks [2] to sit her up [3] pillow

vió a su hija María que vino a sentarse silenciosamente a su lado.

— Papá — pronunció la joven después de largo rato de silencio, — a causa de esta desgracia he decidido
5 dedicarme a Dios para siempre... Yo no sirvo [4] para el mundo... Mi corazón se opone a la idea de matrimonio... En este momento solemne en que la desgracia pesa sobre ti, tal vez te servirá de consolación el saber que vas a tener una hija que vive feliz sirviendo a su
10 Dios y pidiendo por vosotros...

María había hablado deteniéndose a veces como si esperase que su padre la interrumpiera.[5] Pero concluyó y aun pasó un largo intervalo de silencio. Al fin la joven le preguntó tímidamente:

15 — ¿No me dices nada, papá?

— Nada — respondió él sin mirarla.

— ¿Pero me das tu consentimiento para empezar mi propósito?

— Sí.

20 — ¡Oh, ya lo sabía! Tú eres muy bueno... Ahora te dejo... me está esperando Marta... Adiós, papá,... déjame darte un beso... adiós.

Y la puerta volvió a abrirse y a cerrarse. El señor de Elorza continuó quieto, en la misma posición que le
25 había dejado su hija, sentado, con las manos juntas y la cabeza inclinada sobre el pecho.

La agitación en Nieva era extraordinaria cuando se supo que la señorita de Elorza iba a tomar el hábito. Aunque esperado desde hacía algún tiempo, no por eso
30 dejaba de impresionar profundamente a sus amigos. La niña, después del extraño suceso de su prisión y la muerte de su madre, volvió con más fuerza que nunca

[4] I am not [5] would interrupt

a la religión. María excitaba vivas simpatías. Pasaba por una santa.

Quince días antes de entrar en el convento de San Bernardo [6] en Nieva, María escribió esta carta:

Mi querido Ricardo: 5

Hace ya tiempo que nuestras relaciones amorosas se rompieron por virtud de providenciales circunstancias más que por iniciativa [7] de mi voluntad. Antes de renunciar para siempre al mundo, debo manifestarte que no tengo absolutamente ninguna queja de tu conducta para conmigo.[8] Has 10 sido siempre bueno, fiel y cariñoso. Hasta tal punto es así, que por ningún hombre de este mundo te cambiaría si hubiese de quedar en él. De aquí en adelante [9] ya no existe el amor de la tierra entre nosotros. No te olvidaré en mis pobres oraciones. Olvídame tú cuanto te sea posible. Eres bueno, 15 eres noble, hermoso y rico; busca una mujer que te merezca más que yo te merecía, y cásate y sé feliz. Yo rogaré siempre por vosotros. Adiós.

María

Al dejar su casa, el coche de María cruzó por delante 20 del palacio feudal de los Peñalta. Pasó ella sin dirigir siquiera una mirada furtiva a los balcones ni pensar en Ricardo.

El traslado [10] del joven teniente de artillería Ricardo de Peñalta no acaba de llegar. Lo había pedido quince 25 días antes de la toma [11] de hábito de la señorita de Elorza. Era ya pasado un mes desde la ceremonia . . . y nada. Las personas de influencia que nuestro amigo tenía en Madrid no se habían dado mucha prisa [12] esta vez a satisfacer sus deseos. 30

[6] French Cistercian monk (1091–1153). He preached the Second Crusade.
[7] initiative
[8] toward me
[9] from now on
[10] transfer
[11] taking
[12] had not hurried much

¿Pero por qué este muchacho tenía tales deseos de alejarse [13] de Nieva? Dicho sea en honor de la verdad, Ricardo cuando pidió el traslado sentía ganas vehementes [14] de perder de vista para siempre aquellos lugares, donde tan feliz había sido y donde iba a ser tan infeliz; mas ahora, después de que un mes hubo pasado, se había calmado un poco y andaba cerca de acostumbrarse a su desgracia. Sin embargo, seguía triste. Todo el pueblo lo advertía.

Desde el día en que le hizo aquella horrible proposición que no podía recordar sin sentirse furioso, comprendió que no sería dueño jamás del corazón de María. Una voz secreta se lo estaba diciendo sin cesar al oído. Así que no le causó gran sorpresa la carta en que se le comunicaba [15] la entrada en el convento. Hacía ya algún tiempo que corría este rumor en el pueblo. Sin embargo, no pudo poner fin a [16] su dolor vivo. Ni aún le quedaba el derecho de ponerse furioso. Como cristiano sincero que era, le era necesario ver con paciencia, hasta con gusto (la carta bien lo decía), aquella religiosa substitución de amor de la tierra aunque noble, por otro divino y sublime. María no era culpable [17] de nada, absolutamente de nada. Quizá en esta idea encontraba el joven marqués la única consolación posible. Porque lo cierto era que la hermosa joven no le había dejado por ningún otro hombre, sino por seguir el duro camino que va al cielo.

No podía menos de pensar a veces que María jamás le había profesado un amor sincero y vehemente como el suyo; que había sido su novia por obligación a causa de las circunstancias especiales en que ambos se encontraban en Nieva; que tal vez se había engañado a sí

[13] was . . . so desirous of moving away
[14] desired vehemently
[15] communicated
[16] put an end to
[17] guilty

misma pensando quererle, pues si le hubiese amado realmente, nunca le hubiera venido la idea de meterse en conspiraciones ni mucho menos en proponerle traiciones; que María era una joven de mucho talento y gran imaginación, pero no tenía los sentimientos que 5 deben poseer las buenas esposas y madres. En fin, Ricardo presumía que su amada tenía más cabeza que corazón, o él no sabía lo que era.

Cuando pensaba en la María de otros tiempos, tan alegre, lloraba. Cuando la vió cruzar sonriente delante 10 de su casa sin dirigir siquiera una mirada a los balcones, se llenaba su corazón de amargura.[18] Y cuando la veía con la imaginación en hábito de monja bernarda[19] nuestro joven—¡que Dios le perdone el pecado!—llegaba a mirar con mal humor a la esposa de Jesucristo. 15

No dejó por un instante de frecuentar la casa de Elorza como antes; acaso más que antes. Había allí dos seres que le compadecían.[20] Además era un hábito el pasar algunas horas del día entre aquellas cuatro paredes, y no sólo hábito, sino deber de reconocimiento 20 por el cariño que se le daba, y no sólo deber, sino también, ¿por qué no hemos de decirlo? también gusto, mucho gusto, pues no podía dejar de tenerlo al ver a un caballero tan bueno como don Mariano, que le había dado pruebas de amarle como a hijo, y a una 25 niña tan buena y hermosa como Marta, a quien quería como hermana. Como el recuerdo de María se iba haciendo menos agradable, hallaba más dulce el cariño de aquella familia y se cogía a él como a la última tabla.[21] Si dejara escapar esta tabla quedaría solo. ¡Solo, solo! 30 Esta palabra le traía a la imaginación la horrible noche pasada en el tren[22] cuando vino a Nieva después de

[18] bitterness
[19] Bernardine nun
[20] took pity on him
[21] board, "last straw"
[22] train

la muerte de su madre. El destino cruel volvía a pronunciarla en sus oídos cuando menos lo pensaba. Al fin, mientras permaneciese en Nieva, no sonaba tan triste porque todo lo que veía y tocaba en su casa le hablaba de su madre; cuanto veía en la de Elorza le recordaba el amor de María; pero ¿y después?... ¿Qué le dirían los campos de Castilla[23] por donde el tren le haría cruzar? ¿De qué le hablaría la indiferente muchedumbre en las calles de Madrid?... Por eso, Ricardo temía ya, más que deseaba, el traslado que con tanta prisa había pedido.

Todos los días al entrar en casa de Elorza le preguntaba Martita:

—¿Ha llegado eso, Ricardo?

A las pocas veces respondió:

—¿Acaso tienes ganas de que me vaya, Martita?

—¡Oh, no!...—dejó escapar la niña con un tono de voz que valía un poema.

Pero Ricardo no consiguió leerlo. Estos hombres heridos de una desilusión no saben leer más poemas que el suyo.

Después de la muerte de su madre, en cuya enfermedad tanto le ayudó y consoló Ricardo, Marta volvió a tratarle con la misma confianza y cariño que antes. La hija menor de don Mariano había pasado por una terrible crisis que nadie supo en la casa. La muerte de doña Gertrudis, que era una desgracia más grande y positiva que todas las demás, calmó mucho los desórdenes de su corazón. Volvió a ser la misma Marta tranquila, serena y cariñosa de antes. ¡Felices los que en la vida se encuentran con estos seres que ponen su felicidad en la de otras personas, que ofrecen las flores y se quedan con las espinas!

[23] Castile, region of central Spain

Ricardo pasaba largas horas en casa de Elorza. Las tardes, sobre todo, las dedicaba enteras a don Mariano y a su hija, saliendo con ellos de paseo cuando hacía buen tiempo y permaneciendo en casa cuando llovía. Algunas veces iba también por la mañana y entonces 5 don Mariano solía invitarle a comer. Mientras Ricardo decía que no, y el caballero insistía, Marta no decía nada, pero se advertía en su rostro la ansiedad y en los ojos el vivo deseo de que se quedase. Cuando al fin aceptaba, ¡era de ver la alegría de la niña y la solicitud 10 con que todo lo preparaba, entrando y saliendo de la cocina infinitas veces, improvisando los platos que sabía más del gusto del joven marqués y poniendo en movimiento a las criadas! El *beefsteak* a la inglesa,[24] porque Ricardo se había acostumbrado allá por Madrid a 15 comerlo así; el pescado[25] frío, el arroz,[26] el pedazo de limón[27] (Ricardo echaba[28] limón a casi todos los platos), etc., etc. Pero donde Marta ponía[29] los cinco sentidos era en el café. Mientras iba y venía preparándolo todo, el joven no cesaba de bromearla[30] en el mismo tono 20 cariñoso de los primeros tiempos; y eso que Marta, aunque de corto todavía, era ya una verdadera mujer, y no de las menos lindas, como hemos tenido la ocasión de decir. Había crecido poco, sin embargo.

Desde el día en que se irritó, Martita no volvió a 25 preguntarle por el traslado; pero todos al entrar en casa le dirigían una mirada, queriendo leer en su rostro alguna noticia. Como no la había, la niña se tranquilizaba, volviendo a la obra, que rara vez dejaba de tener en las manos. Ricardo tampoco hablaba para nada de 30 partir. O no recordaba su petición, o no quería recordarla. Tal vez hubiese de todo un poco. El marqués

[24] in the English fashion
[25] fish
[26] rice
[27] lemon
[28] put . . . on
[29] applied
[30] to joke with her

de Peñalta había pasado de la melancolía, y de aquí iba poco a poco dejándose ir a las sensaciones dulces. Aquella habitación, donde Marta cosía,[31] inspiraba ideas de amable calma y de felicidad.

5 Una mañana, como si fuera la cosa más natural del mundo, como si la noticia no rompiese el corazón de nadie, como si se tratara de algo de poco momento, Ricardo entró en casa de Elorza, diciendo:

— Esta noche me ha llegado al fin el traslado para 10 Valencia.[32]

¡Ciego, ciego! ¿No ves que esa niña está pálida? ¡Mira que va a caer! ¡Corre, corre a sostenerla! . . .

Nada; no notó nada el joven marqués. Él también estaba un poco pálido. El tono indiferente con que 15 contó su noticia era pura comedia, porque aquella noche no había podido dormir.

Don Mariano hizo un gesto [33] de disgusto, exclamando:

— ¡Cuánto lo siento, hijo! Siento que te nos marches ahora . . . En fin, si es tu gusto . . .

20 Ricardo guardó silencio. Quería exclamar: «¡Qué ha de ser mi gusto! Mi gusto sería pedir la absoluta en este momento, y quedarme aquí para siempre y vivir tranquilamente al lado de ustedes; ¡de ustedes, que son las personas a quienes más amo en este mundo!» 25 Pero tuvo la debilidad de callarse y estas debilidades suelen costar muy caras [34] en la vida.

— ¿Y cuándo piensas irte? — continuó el caballero.

— Mañana mismo. Necesito detenerme en Madrid algunos días para arreglar ciertos asuntos. A Valencia 30 llegaré el diez del próximo.

— ¿Vas a algún regimiento?

— Al primero montado.[35]

[31] was sewing
[32] third largest city in Spain, important harbor on the Mediterranean
[33] gesture
[34] dearly
[35] mounted

—¡Ah!

Y guardaron silencio. La tristeza les dominaba a todos, deteniendo la conversación, que otras veces solía ser muy viva, aunque se tratara de cosas domésticas. Don Mariano habló de nuevo en tono triste. 5

—¿Has estado ya alguna vez [36] en Valencia?

—Sí, señor; pasé allí un mes hace algunos años.

—Es muy bonito aquello, ¿verdad?

—Sí, muy bonito.

—Muchas naranjas,[37] ¿eh? . . . 10

—Muchas.

—Creo que es un pueblo alegre.

—Eso no; a mí me ha parecido muy triste.

—Pues hombre, yo creía . . .

Y volvieron a guardar silencio. Los corazones estaban 15 tristes, y el acento indiferente de las palabras no bastaba a ocultarlo. Marta no había dicho una sola palabra en todo el tiempo. Sentada en una silla baja, al lado del balcón, seguía la obra de croché [38] que tenía en la mano. Ricardo estaba reclinado [39] en el sofá cerca de don 20 Mariano.

—¿Y cómo has arreglado tu casa? —le preguntó don Mariano. —¿Despides a los criados?

—Menos a Pepe el jardinero y a César el portero [40] . . .

—¿Has hecho el equipaje? [41] 25

—No; tengo tiempo esta tarde y mañana.

—¿Y las visitas?

—Realmente, don Mariano, las únicas personas que conozco bien aquí son ustedes . . . Con otras tres o cuatro visitas he concluido. A los demás enviaré tar- 30 jetas [42] . . . Lo que siento más es dejar sin concluir el trabajo del jardín . . .

[36] ever
[37] oranges
[38] crochet
[39] reclining
[40] gatekeeper
[41] Have you packed your baggage?
[42] cards

— No te ocupes de eso, yo cuidaré . . . yo cuidaré . . . yo cuidaré . . .

No pudo decir más. Le ahogaba la emoción. Levantóse de pronto don Mariano y salió de la habitación.
5 Ricardo quedó silencioso. Marta continuaba trabajando, como si nada tuviese que ver con lo que estaba pasando. No levantó una sola vez la cabeza durante la conversación, ni aun cuando su padre salió del cuarto. Ricardo la contempló fijamente largo rato. Se le había
10 figurado que Martita iba a ponerse muy alterada [43] al saber la noticia, porque siempre le había dado pruebas de cariño. Tenía ciega confianza en la bondad de su corazón y de su cariño; pero al verla tan serena, con su obra de croché, sin preguntarle nada, sufría una
15 nueva y dolorosa desilusión. «Pues señor — se dijo entre lágrimas — hay que aceptar el mundo y la humanidad como son . . . ¡Esta niña que yo creía tan sensible! [44] . . . ¡Qué le vamos a hacer! . . . En la mujer no existe más que un cariño verdadero . . . ¿Estará tal
20 vez enamorada esta chica? . . .»

Ricardo no tenía por qué irritarse ante semejante idea. Pero lo cierto es que se irritó y no poco. Como se hallaba, la irritación cedió [45] muy pronto lugar a la tristeza, una tristeza profunda.

25 — ¿A ti no te pesa de [46] que me vaya, Martita? — dijo mientras aparecía en su rostro cierta sonrisa de melancolía.

— ¡Si es tu gusto! . . . — contestó la niña sin levantar la cabeza.

30 Ricardo no tenía ya ningún deseo de marcharse. Estaba furioso contra sí mismo por haberlo pedido . . . Pero no dijo una palabra de lo que pensaba.

[43] disturbed
[44] sensitive
[45] yielded
[46] Doesn't it grieve you

Su tristeza crecía. Tenía ganas de llorar. No se atrevía a dirigir la palabra a Marta para que no se le conociese la emoción. Además, ¿por qué se la había de dirigir?... ¡Una chica tan insensible!

Dejó caer la cabeza sobre el sofá y cerró los ojos. 5 ¡Había meditado ya tanto, tanto, desde hacía algunas horas! Levantó un poco la cabeza para convencerse de que aún podía moverse y echó una mirada a Martita, que seguía como antes; pero no tardó en dejarla caer de nuevo. Todavía estuvo algún tiempo con los ojos 10 abiertos. Al cabo los cerró y se durmió. Esto es, no es fácil decir si se durmió o no. Lo cierto es que el marqués de Peñalta, de aquel modo extendido con los ojos cerrados, no parecía despierto y ofrecía un rostro tan pálido que inspiraba lástima. 15

Durante algunos minutos se pueden soñar muchas y varias cosas. Todos han experimentado eso. Ricardo aún no había perdido enteramente la noción de la realidad cuando se encontró en una habitación semejante a la en que estaba. Mirando del sofá, observó que en 20 una iglesia entraba una gran muchedumbre que producía un desagradable ruido, hasta que se llenó por completo, y no pudo entrar más gente. Entonces empezó a oír el órgano. Cuando cesó el órgano, escuchó la voz de un cura que pronunció largo sermón, aunque 25 no pudo entender una palabra de lo que decía. Oyó la preciosa voz de María que cantaba.

Y en el mismo instante apareció en la puerta de la habitación don Máximo que le dijo: — «¿Qué hace usted ahí? ¿No sabe usted que María se está casando? 30 — ¿Con quién se casa? — Con Jesucristo; venga usted a ver la ceremonia.» Quiso levantarse, pero no pudo. El que se casaba con María era ni más ni menos que Manolito López. Se quedó como quien ve visiones.

Luego entra en la sala misma María en hábito de monja bernarda, y dirigiéndose a él le dice sonriendo dulcemente: — «¿Estás triste porque me caso? — ¡Pues no he de estarlo! — Tonto (manifestó la joven acercándose más),
5 aunque me haya casado con Jesucristo, lo mismo te sigo amando.» Entonces Ricardo se puso a suspirar.[47] — «No, María, tú no me quieres, tú quieres a Manolito López. — Vamos, Ricardo mío, no digas tonterías, ¡cómo he de querer yo a ese chiquillo! — ¿No acabas
10 de casarte con él? — Se me figura que estás soñando, no dices más que tonterías . . . Despierta, hombre, despierta . . . o espera un poquito, yo te voy a despertar, . . . ¡pero mira de qué modo tan dulce! . . .» Y, en efecto, la hermosa monja se acercó todavía más y le
15 tomó el rostro entre sus delicadas manos. Después fué acercando el suyo lentamente y le dió un prolongado beso en la frente.

Ricardo observó que el rostro de María se había cambiado de pronto por el de Marta. Sí; eran sus
20 ojos negros, sus mejillas, sus negros cabellos cayendo en rizos [48] por la frente. Pero aquel rostro ofrecía una expresión tan triste que no pudo menos de gritar: — ¡Marta, Marta! ¿qué tienes? . . . — Y el mismo grito que dió le hizo despertar.

25 Marta seguía al lado del balcón en la sillita baja. Y, sin embargo, el joven, aunque ya despierto, estaba convencido de que había gritado. Todo lo que había pasado era un sueño, pero, a su parecer, ni el grito ni los labios fríos y húmedos que sintió en su frente eran imaginarios:
30 no podía convencerse de eso.

¿Qué era aquello? ¿Qué había pasado?

Estuvo algunos instantes contemplando a Martita

[47] to sigh [48] curls

mientras coordinaba [49] las ideas. Al fin, decidió dirigirle la palabra.

La niña levantó el rostro, que estaba encendido y turbado.

— ¿No acabo de dar un grito? 5

Martita apenas pudo responder con voz temblorosa:

— No, . . . yo no he oído nada.

Ricardo la miró fijamente y con asombro.

— Estaba soñando, pero juraría [50] que he dado un grito . . . y juraría también ¡qué cosa tan extraña!, 10 que tú me has dado un beso.

Marta, al escuchar estas palabras, pasó de pronto del color rojo al amarillo.[51] Sus manos no pudieron sostener la obra de croché y la dejaron caer. Al mismo tiempo miró a Ricardo con tal expresión de miedo, y de ter- 15 nura [52] que éste tembló.

¡Era la misma mirada! ¡La misma que acaba de ver en sueños!

En aquel instante supremo todo lo vió, todo lo comprendió. Perdió su loca pasión por María que le había 20 cegado hasta entonces y se encontró de frente con [53] la escena del jardín cuando Marta se mostraba tan ofendida de que le besase las manos . . . Y la vió y la comprendió. Fué después con la imaginación a la playa de la Isla. El sol estaba brillando sobre la arena; 25 las olas azules y blancas cerca de una roca donde los jóvenes estuvieron sentados largo rato; después, una niña que cae al agua y un joven que se arroja por ella y la salva. «Gracias, señor marqués . . . ¡No se estaba tan mal allá abajo! . . .» También vió, también com- 30 prendió. Después, unos ojos que no le miran, unos

[49] was coordinating
[50] I would swear
[51] yellow
[52] tenderness
[53] facing

labios que no le hablan, unas manos que no le estrechan . . .

¡Ah, sí, todo lo vió, todo lo comprendió!

Levantóse de pronto del sofá y acercando el rostro al de Marta, le dijo en voz dulce y cariñosa, pero con inocente petulancia:

— No lo niegues, Martita, tú acabas de darme un beso. — La niña se llevó las manos a la cara y rompió a [54] llorar. Mil diversas emociones de temor,[55] de cariño, de duda, de alegría y ansiedad cruzaron en un segundo por el corazón del joven marqués, que dobló la rodilla [56] exclamando:

— ¡Marta, por Dios, perdóname! . . . ¡Soy un estúpido! . . . ¡Acababa de soñar unas cosas tan tristes, y de pronto terminaron todas tan bien! . . . No me resignaba a dejar escapar así la felicidad . . . Una idea absurda me vino a la cabeza, inspirada por el mismo deseo de verla realizada . . . Pero no . . . no . . . yo no puedo ser ya feliz en la tierra . . . Nací para ser infeliz . . . Tal vez muera pronto como mi padre . . . y como mi madre . . . Perdóname esta locura [57] de un momento y no llores . . . ¿Quieres saber lo que soñaba? . . . Te lo voy a decir, porque será quizá la última vez que me veas . . . Soñaba . . . soñaba, Marta, que me querías.

La niña separó un poco las manos, y dijo estas palabras antes de llorar:

— ¡Soñabas la verdad!

El marqués de Peñalta, loco, perdido, queriendo salírsele el alma por la boca, la estrechó entre sus brazos, sin poder decir una palabra. Al fin, dejó caer en el oído de su amiga el himno [58] de amor.

[54] began to
[55] fear
[56] kneeled
[57] madness
[58] hymn

Marta escuchaba. Ocultaba la cabeza en el pecho de su amado que repetía la misma frase, ¡la frase más bella que Dios ha dicho a los hombres! Una vez sola levantó la niña la cabeza para preguntar en voz baja y temblorosa: 5

— No te marcharás ya ¿verdad?

¡Buena gana tenía [59] Ricardo de marcharse en aquel momento! Por cuanto hubiera de precioso en la tierra y en el cielo no se marcharía. Luego gritó:

— ¡Don Mariano, don Mariano! 10

El señor de Elorza vino. ¿Qué ocurría? ¿Por qué le llamaban?

— Don Mariano — dijo el joven, — tengo el honor de pedirle a usted la mano de su hija Marta.

¡Aquello era una sorpresa! ¿Pero cómo diablo? ¿Se 15 había vuelto loco?... ¿Qué era aquello, señor?... ¡Vamos a ver, vamos a ver!...

Nada; Don Mariano no pudo decir nada, porque antes de que pudiera decir, hacer o pensar algo, ya tenía a su hija colgada del [60] cuello llorando a lágrima 20 viva.[61] El noble caballero lloró también.

— Vosotros no me abandonaréis, ¿verdad, hijos míos? — dijo el viejo levantando su noble rostro bañado [62] en lágrimas.

Ricardo estrechó con más fuerza su mano. 25

Hubo algunos instantes de silencio, durante los cuales todos los ángeles del cielo se marcharon por la salita que bañaba el sol de la mañana. Mas he aquí [63] que Martita separa un poco el rostro del pecho de su padre, y sonriendo al través de [64] las lágrimas pregunta cán- 30 didamente a su amado:

[59] was very desirous
[60] hanging on his
[61] vehemently, copiously
[62] bathed
[63] lo and behold!
[64] through

—¿Comerás hoy con nosotros, Ricardo?

—Sí, preciosa mía—responde el joven marqués cayendo de rodillas y besando las manos de la niña,—comeré hoy, y mañana y pasado [65] . . . y siempre . . .

5 Marta volvió a ocultar el rostro en el pecho paternal. ¡Tenía el corazón tan lleno de felicidad! Los tres lloraban en silencio.

EXERCISES

I. Translate the following sentences:

1. Se detenía a veces como si esperase algo.
2. Tal vez te sirva de consolación.
3. De aquí en adelante ya no existe el amor de la tierra.
4. No se den ustedes mucha prisa de salir.
5. Hacía ya algún tiempo que corría este rumor.
6. Por más que hizo, no pudo evitarlo.
7. Sin embargo, le diré la verdad.
8. No podía menos de pensar que María nunca le amó.
9. Cruzó por delante de su casa sin dirigir una mirada a los balcones.
10. Tenía ganas de exclamar: «¡Qué ha de ser mi gusto!»
11. Se me figura que estás soñando.
12. A su parecer, ha cesado de quererle.

II. Answer the following questions in Spanish:

1. ¿Cómo estaba doña Gertrudis cuando volvieron a casa María y su padre?
2. ¿Quién cuidaba de doña Gertrudis?
3. ¿Cuándo murió la señora de Elorza?
4. ¿Quién entró a sentarse al lado de don Mariano?
5. ¿Qué decidió hacer María?
6. ¿Le dió su consentimiento don Mariano a María?
7. ¿Qué decía la carta que recibió Ricardo de María?
8. ¿Miró María desde el coche el palacio feudal de los Peñalta?

[65] day after

Vocabulary

Adjectives, nouns, and interjections which are exact cognates have been omitted unless additional meanings are needed for clarity. The word *to* has been omitted in the translation of the infinitive.

No forms of the present tense are given except a few which might be confused with those of other verbs. Irregular verb forms, however, are given as used in the text. Regular past participles whose infinitives are listed have not been included except those which have a special meaning.

Adverbs ending in *–mente* have been omitted if the corresponding adjective is listed, except where a different meaning is involved.

Nouns, adjectives, and pronouns are listed in the singular, except for words used only in the plural. Nouns whose genders are not obvious are marked *m.* or *f.* Adjectives and pronouns ending in *–o*, with the feminine ending *–a*, are listed as follows: *rojo, –a*. Where *o* is omitted before a masculine singular noun, it is marked *un(o)*. Where *a* is added to form the feminine, it is indicated *inglés(a)*.

Diminutives, augmentatives, and *–ísimo* forms have been included.

Idioms are listed under the significant words. Those idioms which include both a noun and a verb are included under both.

Prepositions commonly used with verbs are indicated in parentheses following those verbs.

ABBREVIATIONS

adj.	adjective	*obj.*	object
cond.	conditional	*part.*	participle
conj.	conjunction	*pl.*	plural
etc.	and so forth	*prep.*	preposition
f.	feminine	*pres.*	present
fut.	future	*pret.*	preterit
imper.	imperative	*pron.*	pronoun
impf.	imperfect	*sing.*	singular
inf.	infinitive	*subj.*	subjunctive
m.	masculine	*w.*	with
n.	noun		

A

a to, at, in, on
abajo below, down
abandonar abandon
abanico fan
abierto, –a opened, open
abrazar embrace
abrir open
absoluto, –a absolute
absuelto, –a acquitted, cleared of charges
absurdo, –a absurd
abuelo grandfather
acá here
acabar finish, end; **— de** + *inf.* have just
acariciar caress
acaso perhaps, by chance
acento accent
aceptar accept
acerca de about, concerning
acercar draw up, bring near; **–se** (**a**) approach
acertar hit the mark, do the right thing
acomodar accommodate
acompañamiento accompaniment
acompañar accompany
acostado, –a lying
acostar lay down, put to bed; **–se** go to bed, lie down
acostumbrarse (**a**) be accustomed
actividad *f.* activity
activo, –a active
acto act
acusación *f.* accusation
acusar accuse
adelante forward, ahead; **de aquí en —** from now on
adelanto improvement, advance, progress
además besides, moreover
aderezo set of jewels
adiós good-bye
admiración *f.* admiration
admirar admire
adolescencia adolescence
¿adónde? where (to)?
adoptar adopt
adorar adore
adornado, –a decorated, adorned
adquirir acquire
advertir warn, tell, advise, notice
afable affable, pleasant
afectuoso, –a affectionate
afirmar affirm, assert
agitación *f.* agitation

agitado, -a agitated
agradable agreeable, pleasant, pleasing
agradecer be grateful for, be thankful for
agradecido, -a grateful
agua (el) *f.* water
aguardar wait (for)
ahí there; **por —** over there
ahogar choke, stifle
ahora now; **hasta —** I'll see you soon; **por —** for the present
aire *m.* air; **pecho al —** chest bare
al = a + el; + *inf.* on, upon
ala (el) *f.* wing
alabanza praise
alabar praise
alarma alarm
alcanzar reach, attain, overtake
alcoba bedroom
alegrarse (de) be glad
alegre merry, gay, cheerful
alegría joy, merriment
alejarse move away, go out of sight
algo somewhat, a little, rather; something, anything
alguien someone, somebody
algún(o), -a some, any; someone, anyone; **¿alguna vez?** ever?
alma (el) *f.* heart, soul
almohada pillow
alojar lodge, live
alrededor (de) around
alterado, -a altered, disturbed
alternar alternate
altísimo, -a very high, tall
alto, -a tall, loud, loudly, high
allá there; **más —** farther, much beyond, far beyond
allí there
amabilidad *f.* kindness
amable amiable, affable, kind
amado, -a loved one, lover
amar love
amargo, -a bitter
amargura bitterness
amarillo, -a yellow
ambos, -as both
amigo friend
amo master, owner
amor *m.* love; **amores** love affair; **con mil amores** with the greatest pleasure
amoroso, -a loving, affectionate
ancho, -a wide
andar go, walk
animadamente animatedly
animar animate, encourage
ánimo courage
ansiedad *f.* anxiety
ante before; **— todo** first of all
anterior preceding, former
antes before, first; **— de** before; **— (de) que** before
antiguo, -a ancient, old, former
añadir add
año year; **cumplir los catorce -s** reach one's fourteenth birthday; **tener . . . -s** be . . . years old
apagar extinguish, put out
aparecer appear
apenas hardly, scarcely
apetito appetite
aplacemos *pres. subj. of* **aplazar**
aplaudir applaud
aplazar postpone
aplicación *f.* application
aplicar apply
aplique *pres. subj. of* **aplicar**
aprender (a) learn
aprovechar take advantage of, profit by
aquel, -la that
aquél, -la that one, the former
aquello that *neuter*
aquí here; **de — en adelante** from now on

árbol *m.* tree
ardiente ardent, passionate
arena sand
aristocrático, -a aristocratic
arma (el) *f.* arm, weapon
armario cupboard, clothes closet
armonioso, -a harmonious
arreglar arrange, fix
arreglo arrangement
arriba up, above, upstairs
arrojar throw, cast
arroz *m.* rice
artillería artillery
artillero artillery soldier
artista *m. & f.* artist
asegurar assure
así thus, so, in this way
asiento seat, chair
asistir (**a**) attend
asociación *f.* association
asombro astonishment, amazement
aspecto aspect
aspirar aspire
asunto matter, affair
asustarse be frightened, scared
ataque *m.* attack
atar tie
atención *f.* attention
atender attend, pay attention
atrever(-se) (**a**) dare
atrevido, -a daring, bold
aún still, even, yet
aunque although, though, even though
autoridad *f.* authority
autorizar authorize
avanzar advance
¡ay! alas! ow! oh!
ayer yesterday
ayuda help
ayudar help
ayuntamiento city hall
azotar lash, whip, strike repeatedly
azote *m.* lash
azul blue

B

bailar dance
baile *m.* dance
bajar go, come, bring, take down, lower
bajo, -a low, soft, short; under
balcón *m.* balcony, balconied window
banco bench
bañar bathe
barba beard
barco boat
basta enough
bastante enough, rather, fairly
bastar be enough
Bayona Bayonne, city in southwestern France
beber drink
belleza beauty
bello, -a beautiful
bendecir bless
bendiga *pres. subj. of* **bendecir**
benevolencia benevolence, kindness
bernarda Bernardine
Bernardo Bernard; **San —** French Cistercian monk, 1091–1153. He preached the Second Crusade.
besar kiss
beso kiss
biblioteca library
bien well, indeed, very; **¡está —!** all right! **más —** rather; **pues —** well then; **si —** although; *n. m.* good, benefit
bigote *m.* mustache
blanco, -a white
blancura whiteness
boca mouth
boda wedding

bolsillo pocket
bondad *f.* goodness, kindness; **tener la — de** please
bondadoso, -a kind, good-natured
Bonifacio Boniface
bonito, -a pretty
bordar embroidery
borde *m.* edge, border
bosque *m.* forest
bosquecillo little forest
bote *m.* boat; **— de remos** rowboat
bravo, -a brave
brazo arm
breve brief, short
brillante brilliant, bright
brillar shine
brisa breeze
broma joke
bromear joke
Bruselas Brussels
bruto, -a brute
buen(o), -a good
burlar mock; **-se de** make fun of
busca search; **en — de** in search of
buscar search, seek, look for

C

caballería chivalry
caballero gentleman
cabello hair
cabeza head; **de los pies a la —** from head to foot
cabo end; **al —** at last
cada each, every; **— cual** each one; **— vez más** + *adj.* more and more
caer fall; **-se** fall down
café *m.* coffee
caja box, case
cajón *m.* drawer
cajoncito little box
calceta hose; **hacer —** knit
caldo broth
caliente hot, warm
calma calm, calmness, tranquillity
calmarse be (get) calm
calor *m.* warm, hot; **hacer —** be warm (*weather*); **tener —** be warm
callado, -a silent
callar(**se**) be silent, quiet
calle *f.* street
cama bed
cambiar change, exchange
cambio change, exchange; **en —** on the other hand
caminar walk, go
camino road, way
camisa shirt
campana bell
campo field, country
canción *f.* song
cándidamente candidly, frankly, sincerely
cansar tire out; **-se** get tired
cantar sing
cantidad *f.* quantity
Cañedo valley in Spain
capitán *m.* captain
capricho whim, caprice
cara face; **poner una —** make a face
carácter *m.* character
caracterizar characterize
cárcel *f.* jail, prison
cargar load
cargo charge, duty, obligation
caricia caress
caridad *f.* charity
cariño affection
cariñoso, -a affectionate
Carlista Carlist, party of Carlos VII, pretender to the throne (1848–1909)

Carlos Charles
caro, -a dear, dearly
carrera career, profession
carretera highway
carta letter
casa house, home
casar marry; **-se** get married
casi almost
casita little house
caso case, affair; **hacer — de** pay attention to; **ver en el — de** be obliged
castigar punish
Castilla Castile; Old and New Castile, provinces in central Spain
Catalina Catherine; **Santa — de Sena** Italian nun, 1347–80
católico Catholic; **—-monárquica** Catholic-monarchical
catorce fourteen
causa cause; **a — de** because of
causar cause
caverna cavern
cayendo *pres. part. of* **caer**
cayese *impf. subj. of* **caer**
cayó *pret. of* **caer**
caza hunting
cazar hunt
ceder yield, give up
cegar blind
celebrar celebrate, be glad
célebre celebrated, famous
centro center
cerca near, near by; **— de** near, nearly
ceremonia ceremony
cerrar close; **— la noche** nightfall
cesar cease
César Caesar
cesta basket
ciar slow down, back up
ciego, -a blind
cielo heaven, sky
cien(to) hundred, one hundred
cierto, -a certain, sure, true
cigarro cigar
cilicio hair shirt (worn for torture)
cinco five
cincuenta fifty
cintura waist
circunstancia circumstance
ciudad *f.* city; **Ciudad** family name
claridad *f.* light, brightness
claro, -a clear, bright, clearly; **¡ — !** of course!
clase *f.* class, kind
clavel *m.* carnation
clero clergy
cobarde *m.* coward
cobrar recover, regain, collect
cocina kitchen
cocinera cook
coche *m.* coach, carriage
coger catch, grasp, seize, take, take hold of
cojan *pres. subj. of* **coger**
colegio school, college
colgado, -a hanging
colgar hang
colocar(se) place, put
color *m.* color; **de -es** colored
comandante *m.* commander
combate *m.* combat, fight
combinación *f.* combination
comedia comedy
comedor *m.* dining room
comenzar (a) begin, commence
comer eat; **-se** eat up
comida dinner, meal
como as, like; **¿cómo?** how? what? why? **— de costumbre** as usual; **tanto . . . como** both . . . and
comodidad *f.* comfort
cómodo, -a comfortable
compadecer take pity on

compañera companion
compañía company
competir compete
completo, -a complete; **por —** completely
componer compose
comprar buy
comprender understand
comprometer compromise
compuesto, -a composed
común common
comunicar communicate
con with
conceder concede, give
concepto concept, idea; **no tenerla en mejor —** not to think better of her
conciencia conscience
concluir conclude, end, finish
concluyó *pret. of* **concluir**
condenar condemn
condición *f.* condition
conducir conduct, drive, lead
conducta conduct
confesar confess
confesión *f.* confession
confesonario confessional
confesor *m.* confessor
confianza confidence, trust
confiar confide, entrust
conmigo with me; **para —** toward me
conocer know, be acquainted with, meet
conseguir obtain, succeed (in); **-se** be accomplished
consejero adviser, counselor
consejo piece of advice, counsel; council, court; **-s** advice
consentimiento consent
consentir consent, permit
conserva preserve; **fábrica de -s** canning factory; **fabricante de -s** canner
conservar conserve, keep
consideración *f.* consideration
considerar consider
consigo with himself, herself, itself, yourself, themselves, yourselves; **traer —** bring with him (her, it, them, you)
consistir consist
consolación *f.* consolation
consolar console
conspiración *f.* conspiracy
conspirador *m.* conspirator
conspirar conspire, plot
construir construct, build
contar count, relate, tell
contemplar contemplate
contener contain, hold back
contento, -a content, happy; *n.* contentment, satisfaction
contestar answer
contigo with you
continuamente continually
continuar continue
contra against
contrario contrary; **todo lo —** quite the contrary
convencer convince
convenir suit, be proper, be well
convento convent
conversación *f.* conversation
conversar converse
convertir convert, change
convicción *f.* conviction
coordinar coordinate
corazón *m.* heart, love
cordial affectionate, cordial; sincere
coro choir
corona crown
coronel *m.* colonel
correcto, -a correct
corredor *m.* corridor, hall
correr (a) run
correspondencia correspondence
cortar cut; **-se** be cut short

corto, -a short; **vestirse de —** wear a short dress
cosa thing; **gran —** a great deal; **otra —** something else
coser sew
costa coast; cost; **a — de** at the expense (cost) of
costar cost
costumbre *f.* custom, habit; **como de —** as usual; **por —** as a habit
crecer increase, grow
creer believe; **— que sí** think so
creyera *impf. subj. of* **creer**
creyó *pret. of* **creer**
criada maid, servant
criado servant
cristiano, -a Christian
croché *m.* crochet
cruz *f.* cross
cruzar cross
cuadro picture
cual what, which; **cada —** each one; **el, la —, los, las -es** who whom, which; **lo —** which (fact)
cualquier(a) any, anyone
cuando when; **— quiera** whenever you wish; **de vez en —** from time to time
cuanto all that, as much as; **¿cuánto?** how much? **en —** as soon as; **en — a** as for
cuarenta forty
cuarto room
cubierto, -a covered; **ir —** be covered
cubrir cover
cuello neck
cuenta account
cuerda rope
cuero leather
cuerpo body
cuestión *f.* question, problem
cueva cave
cuidado care, anxiety; **con —** carefully; **no hay —** there is no danger; **tener —** be careful; **no tener —** not to worry
cuidar take care (of), be careful
culpable guilty
cumplir complete, fulfill, keep; **— los catorce años** reach one's fourteenth birthday
cuñado brother-in-law
cura *m.* priest
curioso, -a curious
cuyo, -a whose

CH

chica little, little girl
chiquillo little boy
chis, chiis hush, be quiet
chocar (con) strike

D

dama lady
damasco, -a damask, figured silk material
danzar dance
daño damage, harm; **hacer —** to hurt
dar give; **— a** face; **— las buenas noches** say good night; **— las gracias** thank; **— saltos** take leaps, hop; **— vueltas** walk back and forth; **-se prisa** hurry
de of, from, than
dé *pres. subj. of* **dar**
debajo under, underneath; **— de** under
deber ought, must, should; *n. m.* duty
débil weak
debilidad *f.* weakness
decepción *f.* deception, disappointment, disillusionment

decidido, -a decided, brave, determined
decidir decide
decir say, tell; **— que sí** say so; **querer —** mean
declaración *f.* declaration, deposition, statement
declarar declare
decorado, -a decorated
dedicar dedicate
dedo finger
defecto defect
defender defend
defensa defense
defensor *m.* defender
dejar leave, let, allow; **— de** cease, fail, stop
del = **de** + **el** of the, from the
delantal *m.* apron
delante before, in front; **— de** before, in front of
delgado, -a thin, slender, delicate
Delgado family name
delicado, -a delicate
demás rest, other
demasiado too, too much
denotar denote
dentro (de) within, inside, inside of
depósito deposit
derecho right
desagradable disagreeable
desaparecer disappear
desarrollo development
descansar rest
descanso rest
descendiente *m.* descendant
descuidar neglect
desde from, since; **— que** since; **— entonces** from then on; **— hace algún tiempo** for some time
desear desire, wish
deseo desire, wish; **tener -s de** desire, be desirous of
desgracia misfortune; **por —** unfortunately
deshacer undo
deshonrar dishonor
desilusión *f.* disillusion
desistir desist
desmayado, -a fainted
desnudar undress
desorden *m.* disorder, confusion
despedir dismiss, discharge; **-se (de)** say good-bye
despertar awaken, wake up; **-se** wake up
despierto, -a awake
despreciar scorn
desprecio scorn
después afterwards; **— de** after
destino destiny
detener hold back, stop; **-se (a)** stop
detrás behind, in back; **— de** behind; **por — de** from behind
detuvo *pret. of* **detener**
devoción *f.* devotion
devolver return, give back
devorar devour
devoto, -a devout
di *imper. of* **decir**; *pret. of* **dar**
día *m.* day; **al — siguiente** on the following (next) day; **hace pocos -s** a few days ago; **quince -s** two weeks; **todos los -s** every day
diablo devil
diciembre December
dicho, -a said
dichoso, -a blessed, confounded
diente *m.* tooth
diera *impf. subj. of* **dar**
diese *impf. subj. of* **dar**
diez ten
diferente different
difícil difficult
dificultad *f.* difficulty
diga, digas, *pres. subj. of* **decir**

dignidad *f.* dignity
digno, -a worthy
dijo, dijeron *pret. of* **decir**
dinero money
dió, dieron *pret. of* **dar**
Dios God; **¡ — mío!** dear me!; **¡por — !** for Heaven's sake!; **vaya usted con —** good-bye
diré, dirás *fut. of* **decir**
dirección *f.* direction
diría, dirían *cond. of* **decir**
dirigir direct, turn; **-se a** address, go to (or toward)
disciplinas scourge, whip of thongs
discusión *f.* discussion
disgustar displease, disgust
disgusto displeasure, disgust
disparar fire
disparo shot
disponer dispose, arrange, prepare; **-se (a)** get ready to
disponga *pres. subj. of* **disponer**
dispuesto, -a ready
disputa dispute
distancia distance
diván *m.* divan, sofa
diversión *f.* diversion, entertainment
diverso, -a diverse, different
divertirse have a good time
dividir divide
divino, -a divine
doblar double; **— la rodilla** kneel
doblemente doubly
doce twelve
docena dozen
doler cause grief, regret; ache, hurt, pain
dolor *m.* pain, ache, grief, sorrow
doloroso, -a painful
doméstico, -a domestic
dominar dominate
don title used before a man's first name
donde where, to which, in which; **por —** by which
doña title used before a woman's first name
dormido, -a asleep
dormir sleep; **-se** fall asleep, go to sleep
dos two; **los —** both
duda doubt; **sin —** doubtless, without a doubt
dudar doubt
dueño master, owner
dulce sweet; *n. m.* **-s** candy
duque *m.* duke
durante during
durar last
dureza harshness, hardness
durmiendo *pres. part. of* **dormir**
duro, -a hard, harsh

E

e and (*before words beginning with* **i, hi**)
eco echo
echar throw, cast, throw out, pour, put . . . on
edad *f.* age
edificio building
educado, -a educated, mannered, brought up
efecto effect; **en —** as a matter of fact
¡ejem! ahem!
ejemplo example; **por —** for example
ejercicio exercise
ejército army
el the; **— de** that of; **— que** the one who, the one that, he who
él he; *obj. of prep.* him, it *m.*
electricidad *f.* electricity
eléctrico, -a electric
elegancia elegance

elegante elegant, stylish, graceful
elegir choose, select, elect
elemento element
Elorza family name
ella she; *obj. of prep.* her, it *f.*
ellas they *f.; obj. of prep.* them *f.*
ello it *neuter*
ellos they *m.; obj. of prep.* them *m.*
embargo: sin — nevertheless, still
emoción *f.* emotion
empanada meat pie
empeñarse (en) persist in
empezar (a) begin
emplear employ, use
empresa undertaking, enterprise
en in, into, on, at, upon
enamorado, -a in love
encender light
encendido, -a inflamed, red
encerrado, -a shut, shut up
encima on top, above, over; **por — de** over
encontrar find; **-se** be, find oneself; **-se con** meet
enemigo enemy
energía energy
enero January
enfermedad *f.* illness, sickness
enfermo, -a ill, sick
engañar deceive
enlazar link, interlock, put around
enorme enormous
Enrique Henry
entender understand
entero, -a whole, entire
entonces then, at that time; **desde —** from then on
entrada entrance
entrar (en) enter, go into
entre between, among; **— manos** on (in) hand
entregar deliver, hand over; **-se (a)** give up to, deliver oneself to
enviar send
envolver wrap up, envelop; **-se** wrap oneself up
época epoch, period
equipaje *m.* baggage; **hacer el —** pack the baggage
equivocarse be mistaken
equivoqué (me) *pret. of* **equivocarse**
era, eran *impf. of* **ser**
escalera staircase, stair
escapar escape
escena scene
escoger choose, select
escribir write
escrito, -a written
escuchar listen to
escuela school
ese, esa that; **esos, esas** those
ése, ésa that (one); **ésos, ésas** those
esfera sphere
eso that *neuter;* **por —** therefore
espacioso, -a spacious, large
español(a) Spanish
especial special
espectáculo spectacle
espejo mirror
esperanza hope
esperar hope, expect, wait, wait for
espina thorn
espiritual spiritual
espléndido, -a splendid
esplendor *m.* splendor
esposa wife
esposo husband; **-s** husband and wife
establecido, -a established
estado *n.* state, condition
¿estamos? (de acuerdo) are we agreed?; do you understand?
estandarte *m.* banner

estar be; — **bien** all right; — **en pie** be standing; — **por** be for, be in favor of; **-se** stay
estatua statue
este, esta this; **estos, estas** these
éste, ésta this (one); the latter; **éstos, éstas** these
esté *pres. subj. of* **estar**
estimado, -a esteemed
estimular stimulate
esto this *neuter*
estrechar clasp, press
estrecho, -a narrow
estrella star; **Estrella** proper name
estudiar study
estúpido, -a stupid
estuviese *impf. subj. of* **estar**
estuvo, estuvieron *pret. of* **estar**
éter *m.* ether
eternamente eternally
evitar avoid
exacto, -a exact, exactly, accurate
exageración *f.* exaggeration
exaltado, -a exalted, elevated
examinar examine
excelente excellent
excelentísimo, -a very (most) excellent
excepcional exceptional
excitar excite
exclamar exclaim
exclusivo, -a exclusive
exigir demand, require
existencia existence
existir exist
éxito success
expedición *f.* expedition, excursion; **hacer una** — take an excursion
experimentar experience
explicar explain
explorar explore
expresar express
expresión *f.* expression
expresivo, -a expressive
extender extend, stretch out, spread
exterior exterior, outside
extranjero, -a foreign
extraño, -a strange, foreign
extraordinario, -a extraordinary
extravagancia extravagance, folly
exuberante exuberant, overabundant

F

fábrica factory; — **de conservas** canning factory
fabricante *m.* manufacturer; — **de conservas** canner
fácil easy
fachada front of a building, façade
falta fault
faltar lack
fama fame, reputation
familia family
famoso, -a famous
fatiga fatigue
favor *m.* favor; **hacer el — de** please
fe *f.* faith
feísimo, -a very ugly, dear ugly one
felicidad *f.* happiness, felicity
Felipe Philip
feliz happy
femenino, -a feminine
ferrocarril *m.* railroad
fidelidad *f.* fidelity, faithfulness
fiel faithful, loyal
fiesta festival, holiday
figura figure
figurar figure; **-se** imagine, fancy; **se me figura** I imagine
fijamente fixedly, intensely
fijar fix; **-se en** notice

fijo, -a fixed
fila row
Filomena girl's name
fin *m.* end; **al —** finally, at last; **en —** in short, anyway; **poner — a** put an end to; **por —** finally; **sin —** countless number
fino, -a fine
firme firm, stable
físico, -a physical
flor *f.* flower
florecer flourish
foco bulb
fondo bottom
forma form
formalizar formalize, put in final form
formar form
formidable formidable, exciting, terrific
fortuna fortune
fotografía photography
fracaso failure
franco, -a frank
franqueza frankness
frasco flask, bottle
frase *f.* sentence, phrase
fray *contraction of* **fraile** friar
frecuencia frequency; **con —** frequently
frecuentar attend, frequent
frecuente frequent
frente *f.* forehead; **frente** *m.* front; **— a** in front of, facing; **de — con** facing
fresco, -a fresh, cool (*air*)
frialdad *f.* coldness
frío cold; **hacer —** be cold weather; **tener —** be cold; **frío, -a** cold
frivolidad *f.* frivolity
frívolo, -a frivolous
fué, fueron *pret. of* **ser** *or* **ir**
fuego fire; **hacer —** fire (*gun*)
fuente *f.* fountain
fuera outside, out; *impf. subj. of* **ser** *or* **ir**
fuerte strong, loud, heavy
fuerza strength, force
fuese, fuesen *impf. subj. of* **ser** *or* **ir**
fuí *pret. of* **ser** *or* **ir**
Fulanita Miss So-and-So
Fulanito Master, Mr. So-and-So
fumar smoke
fundamento foundation
furioso, -a furious
furtivo, -a furtive, stealthy, secret
fusil *m.* gun
futuro, -a future

G

gabinete *m.* sitting room
galería gallery
gana desire, appetite; **sentir -s** desire; **tener -s de** feel like, want to; **tener buena — de** be very desirous of
ganar gain, win, earn
garantía guarantee
gastar spend, waste
gasto expense
generoso, -a generous
Genoveva Genevieve
gente *f.* people
geranio geranium
Gertrudis Gertrude; **Santa —** 7th century abbess of Nivelle
gesto face, gesture
gimnasia gymnasium
Ginebra Geneva
glacial glacial, icy
gloria glory
glorioso, -a glorious; **Gloriosa** Spanish Revolution of 1868 in which Isabel II was deposed
gobernador *m.* governor

gobierno government
golpe *m.* attack, blow
golpear beat, pound
gordo, –a big, fat
gozar (de) enjoy
gracia grace; **–s** thanks; **dar las –s** thank
gran(de) great (*before a noun*); **grande** big, large (*after a noun*)
grandeza grandeur, greatness
gratitud *f.* gratitude
grave grave, serious
gravedad *f.* gravity, seriousness
griego, –a Greek
gritar cry out, shout
grito shout
grotesco, –a grotesque, fantastic, absurd
grupo group
guardar keep, guard, save; **— silencio** keep silent
guardia *m.* guard (soldier) *f.* guard, guard duty
guarnición *f.* garrison
guerra war
guía *m.* guide
gustar like, be pleasing
gusto pleasure, taste; **no ser muy del —** not to be very much to the liking

H

haber have; **— de** + *inf.* be to, be supposed to
había *impf. of* **haber** there was, there were
habitación *f.* room
hábito habit, dress (of a religious order)
habitual habitual, usual, customary
hablar speak, talk
habrá, habrás *fut. of* **haber**
hacer make, do, have, cause; **— buen tiempo** be good weather; **— calceta** knit; **— calor** be warm; **— caso de** pay attention to; **— daño** hurt; **desde hace algún tiempo** for some time; **— el equipaje** pack the baggage; **— el favor de** please; **— una expedición** take an excursion; **— frío** be cold; **— fuego** fire (*a gun*); **hace pocos días** a few days ago; **— mucho tiempo que** be a long time since; **— preguntas** ask questions; **— ya cerca de una hora** be nearly an hour already
hacerse become; **— de rogar** like to be coaxed
hacia toward
haga, hagamos, hagan *pres. subj. of* **hacer; hágale entrar** have him enter
hallar find; **–se** to be
hambre *f.* **(el)** hunger; **tener —** be hungry
harás, hará, haremos, harán *fut. of* **hacer**
haré *fut. of* **hacer**
haría, harías, harían *cond. of* **hacer**
harina flour
hasta even, until, to, up to, as far as; **— ahora** I'll see you soon; **— luego** see you later; **— que** until; **— mañana** see you tomorrow
hay there is, there are; **— que** + *inf.* one must, it is necessary; **no — cuidado** there is no danger
haya *pres. subj. of* **haber**
haz *imper. of* **hacer**
he aquí lo and behold
hecho *n.* fact; **hecho, –a** made, done
herida wound

herir hurt, wound
hermana sister
hermanito little brother
hermano brother
hermoso, -a beautiful, handsome
hice, hicimos, hicieron *pret. of* **hacer**
hiciese, hicieses *impf. subj. of* **hacer**
hierba grass
hierro iron
hija daughter
hijo son; **-s** son and daughter, children
hilo thread
himno hymn
hiriese *impf. subj. of* **herir**
historia history, story
hizo *pret. of* **hacer**
hoja leaf
hombre man
honrar honor
hora hour; **es — de** it is time to; **hacer ya cerca de una —** be nearly an hour already; **una — de noche** one hour after nightfall
horizonte *m.* horizon
horno oven
hoy today; **— por —** at the present time
hubiera *impf. subj. of* **haber**
hubiese *impf. subj. of* **haber**
hubo *pret. of* **haber**
huevo egg
huir flee
humanidad *f.* humanity
humano, -a human
húmedo, -a humid, wet
humildad *f.* humility
humilde humble
humillar humble
humor *m.* humor, temper
huyó *pret. of* **huir**

I

iba *impf. of* **ir**
iglesia church
Ignacio Ignatius
igual equal, even; **es —** it makes no difference
igualmente equally, likewise
ilusión *f.* illusion
imagen *f.* image
imaginación *f.* imagination
imaginar(se) imagine
imaginario, -a imaginary
imitación *f.* imitation
imitar imitate
impaciencia impatience
impío, -a impious
importante important
importantísimo, -a very important
importar be important, matter
imposible impossible
impresión *f.* impression
impresionar impress
improvisar improvise
inclinado, -a inclined, sloping, bowed
inclinar incline, slope
incompatible incompatible, uncongenial
incomunicado, -a in solitary confinement
incorporar *transitive* sit up (in bed)
indefinidamente indefinitely
independiente independent
indicado, -a indicated
indiferencia indifference
indiferente indifferent
indigestión *f.* indigestion; **tomar una —** get indigestion
indignación *f.* indignation
indiscreto, -a indiscreet
inesperado, -a unexpected
infame vile, infamous

infantil infantile, childlike
infeliz unhappy
infierno hell
infinito, -a infinite
influencia influence
informar inform
inglés(a) English; **a la inglesa** in the English fashion
iniciativa initiative
inmediatamente immediately
inmenso, -a immense, huge
inmóvil immovable, motionless
inocente innocent
insensible insensitive
insinuante insinuating, alluring, fascinating
insistir (en) insist
insolencia insolence
insolente insolent
inspirar inspire
instante instant; **al —** instantly
instrucción *f.* instruction
intacto, -a intact, untouched
intensidad *f.* intensity
interés *m.* interest
interesar interest
interior *m.* interior, inside, inner; **a su —** to herself
intermediario, -a intermediary
interrumpir interrupt
intervalo interval
introducir introduce
inútil useless
invierno winter
invitar (a) invite
ir (a) go; **— cubierto** be covered; **-se** go away
ironía irony
irritación *f.* irritation
irritar irritate
Isabel: Santa — St. Elizabeth of Hungary
Isidorito *diminutive of* **Isidore**
isla island
Islas Canarias Canary Islands, Spanish possession off the northwest coast of Africa
istmo isthmus
italiano, -a Italian
izquierdo, -a left

J

jamás never, ever
jamón *m.* ham
jardín *m.* garden
jardinero gardener
jaula cage
jefe *m.* chief, head, leader; **— de orden público** chief of police
Jesucristo Jesus Christ
Jesús Jesus; heavens!
joven young; *n.* young man
juego game; **— de prendas** game of forfeits
jueves *m.* Thursday
jugar play (*a game*)
juguete *m.* toy
juicio judgment
junta council
juntarse meet, join one another
junto, -a joined; **junto a** close to, beside, next to, by; **-s** together
jurar swear
justo, -a just
juventud *f.* youth

K

kilómetro kilometer (*about 5/8 of a mile*)

L

la the *f.;* **— de** that of; **— que** the one who, which; *pron.* her, it, you *f.*
labio lip
labrado, -a carved

lado side; **al — de** beside
ladrón *m.* thief
lago lake
lágrima tear; **llorar a — viva** weep vehemently, copiously
lamentarse lament, grieve
lamento lament
lámina sheet
lámpara lamp
largamente for a long time
largo, -a long; **vestirse de —** wear a long (dress)
larguísimo, -a very long
las the *f. pl.;* **— de** those of; **— que** the ones who, which; *pron.* them, you *f.*
lástima pity
lavar wash
lazo bond
le him, you; to him, to you, to it, to her
lección *f.* lesson
lectura reading
leer read
legua league (*about three miles*)
lejos far, far off; **a lo —** in the distance; **— de** far from
lento, -a slow
les to them, to you
levantar raise, lift; **-se** get up, rise
ley *f.* law
leyó *pret. of* **leer**
libertad *f.* liberty
libre free
libro book
limón *m.* lemon
limpiar clean, wipe
limpieza cleanliness
limpio, -a clean
lindo, -a pretty
línea line
lo it *m.; neuter* the, how; **— de** that of; **— que** that which, what; **de — que** than
loco, -a crazy
locura madness
lógico, -a logical
Londres London
lontano (a te) far (from thee)
López family name
los the; **— de** those of; **— que** the ones who, which; *pron.* them, you *m.*
lucha struggle
luchar struggle, fight
luego then, next; **hasta —** see you later
lugar *m.* place; **tener —** take place
lujo luxury
luna moon
luz *f.* light

LL

llamar call, knock; **-se** be named, be called; **¿Cómo se llama?** What is (your) name?
llegar (a) arrive, reach, come to; **— a romper** succeed in breaking; **— a ser** become
llegue *pres. subj. of* **llegar**
llenar fill
lleno, -a full; **de —** entirely
llevar take, lead, conduct; wear
llorar cry, weep; **— a lágrima viva** weep vehemently, copiously
llover rain
lluvia rain

M

madera wood
madre *f.* mother
mágico, -a magic
magnífico, -a magnificent
majestad *f.* majesty
majestuoso, -a majestic

mal *m.* evil; badly, poorly
malicioso, -a malicious, wicked
mal(o), -a bad, ill
mamaíta dear little mama
mandar order, send
manera way, manner; **de esta —** in this way; **de ninguna —** by no means
manía mania, madness
manifestación *f.* manifestation, declaration
manifestar manifest, reveal, show
mano *f.* hand; **traer entre -s** have on (in) hand
Manolito little Manuel
manta blanket, rug; **— de viaje** traveling blanket
mantilla veil, shawl
mañana tomorrow, morning; **de —** early; **hasta —** see you tomorrow
mar *m. & f.* sea
marcha march
marchar march, walk, go; **-se** march, go, go away, leave
marea tide
margarita daisy
María Mary
Mariano man's first name
marido husband
marinero sailor
mármol *m.* marble
marqués *m.* marquis
marquesa marquise
Marta Martha; *diminutive* **Martita**
mas but
más more, most; **— allá** much beyond, far beyond, farther; **no . . . — que** no more than, only
matar kill
matrimonio matrimony, marriage
Máximo man's first name
mayor older, oldest, greater, greatest; **la — parte de** most
mazurca mazurka (*dance and music*)
me me, to me, myself
medallón *m.* medallion, large medal, locket
médico doctor, physician
medida measure
medio, -a half, a half; *n. m.* middle, means, way; **en medio de** in the midst of
meditar meditate, plan
Méjico Mexico
mejilla cheek
mejor better, best
melancolía melancholy
melancólico, -a melancholy
melodía melody
memoria memory; **traer a la —** remind
ménagère housekeeper (*French*)
Menino bird's name, noble page, little coxcomb
menor younger, youngest, less, least
menos less, least, except; **no poder — de** not to be able to help; **por lo —** at least
mensaje *m.* message
merecer deserve
merezca *pres. subj. of* **merecer**
Merino family name
mérito merit
mes *m.* month
mesa table; **— de escribir** desk
mesilla little table
meter put in, put inside; **-se** meddle
mezclar mix
mi my
mí me
miedo fear; **tener —** be afraid
mientras (que) while
mil thousand, one thousand

militar military
ministro minister
mío, -a mine, of mine, my; *pron.* **el mío, la mía** mine
mirada look, glance
Miramar place name
mirar look (at)
misa mass
miserable miserable, wretched, unhappy
miseria misery, wretchedness
mismo, -a same, very, self; **lo — que** the same as
misterio mystery
modelo model
moderno, -a modern
modesto, -a modest
modo way, manner, means; **de todos -s** at any rate
molestar bother, disturb, trouble, annoy, tease
momento moment
monja nun
monograma *m.* monogram
monstruo monster, huge thing
monstruoso, -a monstrous, huge, extraordinary
montado, -a mounted
montaña mountain
morado, -a violet, purple
Moral (El) place name
moralista *m.* moralist
moreno, -a dark
morir(se) die
mortal mortal, fatal
Mory family name
mostrar show; **-se** appear
motivo motive, reason
mover move
movimiento movement
mozo boy, servant
muchacha girl
muchedumbre *f.* crowd
muchísimo, -a very much, a great deal
mucho, -a much, a great deal, very; **muchas veces** often
muelle *m.* dock
muerte *f.* death
muerto, -a dead, died
mujer *f.* woman, wife
multiplicar multiply
multitud *f.* multitude
mundo world; **todo el —** everybody
murió, murieron *pret. of* **morir**
murmurar murmur
música music
muy very

N

nacer be born
nacimiento birth
nación *f.* nation
nada nothing, not . . . anything; not at all
nadar swim
nadie no one, nobody, not . . . anyone
Nápoles Naples
naranja orange
nariz *f.* nose
narrar narrate, relate, tell
naturaleza nature
naturalísimo, -a very natural
necesario, -a necessary
necesidad *f.* necessity, need
necesitar need
negar deny; **-se a** refuse to
negativa negative, refusal
negocio business
negro, -a black
nervio nerve
nervioso, -a nervous
ni neither, nor
Nieva fictional place-name in Spain
ningún(o), -a no, none, no one,

not . . . any; **de -a manera** by no means
niña girl, child
niñez *f.* childhood
niño boy, child
no no, not
noción *f.* notion, idea
noche *f.* night; **cerrar la —** nightfall; **dar las buenas -s** say good night; **de —** at night; **esta —** tonight; **por la —** at night, in the evening; **una hora de —** one hour after nightfall
nombrar name
nombre *m.* name
nos us, to us, ourselves
nosotros, -as we, us
nota note
notablemente notably, noticeably, remarkably
notar note, notice, observe
noticia notice, piece of news; **-s** news
novela novel
novena nine days of prayers
novia sweetheart, "girl," fiancée, bride
novio lover, "boy friend," fiancé, groom
nube *f.* cloud
nublado, -a clouded, cloudy
nuestro, -a our; *pron.* **el nuestro, la nuestra** ours
nuevo, -a new; **de —** again
número number
numeroso, -a numerous
nunca never, not . . . ever

O

o or
obedecer obey
objeción *f.* objection
obligación *f.* obligation
obligar (**a**) oblige
obra work
obrero worker, workman
obscurecer obscure, darken, dim
obscurecido, -a obscure
obscuridad *f.* obscurity
obscuro, -a dark, obscure, gloomy; **a obscuras** in the dark
observación *f.* observation
observar observe
ocasión *f.* occasion, opportunity
océano ocean
ocultar hide
oculto, -a hidden
ocupar occupy
ocurrir occur, happen
ocho eight
ofender offend
oficial *m.* official
oficio function
ofrecer offer
oído (inner) ear; **oído, -a** heard
oiga *pres. subj. of* **oír**
oír hear, listen
ojo eye; **tener los -s negros** one's eyes to be black
ola wave
¡olé! bravo!
olor *m.* odor
olvidar(**se**) (**de**) forget
operación *f.* operation
oponer oppose
oposición *f.* opposition
oración *f.* prayer
orden *m.* & *f.* order; **jefe de — público** chief of police
ordenanza *m.* orderly
ordinario, -a ordinary
oreja ear
órgano organ
orgullo pride
ornamento ornament, decoration, adornment
oro gold
otoño autumn, fall

otro, -a other, another; **otra cosa** something else; **otra vez** again; **unas a otras** one another
ovillo: — de hilo ball of thread
oyendo *pres. part. of* **oír**
oyese *impf. subj. of* **oír**
oyó *pret. of* **oír**

P

paciencia patience
padre *m.* father
pagar pay, repay
país *m.* country
paisaje *m.* landscape
paja straw
pajarito little bird
pájaro bird
palabra word
palacio palace
pálido, -a pale
palo mast
pan *m.* bread
panadero baker
pañuelo handkerchief
papel *m.* paper
para for, to, in order to, toward; **— conmigo** toward me; **— que** in order that
paraguas *m.* umbrella
parar(se) (a) stop
Pardo family name
parecer seem, appear, seem best, look like; **al —** apparently; **¿no te parece?** don't you think so? *n. m.* opinion
pared *f.* wall
pareja couple; dancing partner
parezca *pres. subj. of* **parecer**
pariente *m.* relative
parte *f.* part, place, spot; **de su —** in her (his, your, their) name; **la mayor —** most
particular particular, private, peculiar
partida squad, small party
partidario partisan, party man
partir depart, leave
pasado, -a last, past, day after
pasar pass, happen, spend, go through; pass from; **— de** exceed, be more than; **¿Qué te pasa?** What is the matter with you?
pasatiempo pastime, amusement
pasear(se) take a walk, ride
paseo stroll, walk
pasión *f.* passion
paso step
pasta dough
paternal paternal, fatherly
patio patio, inner courtyard
patrón *m.* skipper
pavimento pavement, floor
pavo turkey
paz *f.* peace
pecado sin
pecador(a) sinner
pecho breast, chest; **— al aire** chest bare
pedazo piece
pedir ask, request
Pedro Peter
peldaño step (of a staircase)
peligro danger
pelo hair
pena pain, grief, trouble; **valer la —** be worth while
pendiente *f.* slope
penetrar penetrate
pensamiento thought; pansy
pensar think, intend; **— (de)** think (have an opinion); **— en** think of
Peñalta family name
peor worse, worst
Pepe Joe
pequeñito, -a very little, small
pequeño, -a small, little
perder lose, waste

perdición *f.* perdition, ruin, loss
perdón *m.* pardon, forgiveness
perdonar pardon
perfección *f.* perfection
perfectamente perfectly
periódico newspaper
período period, age, era
permanecer remain, stay
permiso permission
permitir permit, allow
pero but
perro dog
persecución *f.* persecution
persona person
persuadir persuade
persuasivo, -a persuasive
pertenecer belong
pesar weigh, grieve; *n. m.* grief, trouble; **a — de** in spite of
pesca fishing
pescado fish (*when caught*)
petición petition
petite small (*French*)
petulancia petulance
pi, pii cheep
pianista *m. & f.* pianist
pidiese *impf. subj. of* **pedir**
pidió, pidieron *pret. of* **pedir**
pie *m.* foot; **estar en —; quedar(se) en —** be standing; **de los -s a la cabeza** from head to foot
piedad *f.* piety, godliness
piedra stone
pino pine
pintar paint
pintor *m.* painter
piso floor, story; **— principal** main (first) floor
placer *m.* pleasure
plácido, -a placid, calm
plato plate, dish
playa beach
plaza plaza, square
pobre poor
poco, -a little; **-s** few; **al — tiempo** in a short time, in a little while; **— a —** little by little
poder be able, can, may; **no — menos de** not to be able to help; *n. m.* power
podrá *fut. of* **poder**
podría, podrían *cond. of* **poder**
poema *m.* poem
poético, -a poetic
polca polka (*dance and music*)
policía *f.* police
política *f.* politics
político, -a political
poner put, place, apply; **— fin a** put an end to; **— una cara** make a face; **-se** put on; **-se (triste)** become (sad); **-se a** begin
ponga *pres. subj. of* **poner**
ponte *imper. of* **ponerse**
poquito, -a little bit, very little
por by, along, through, for, during, because of; **— ahí** over there; **— ahora** for the present; **— detrás de** from behind; **— donde** by which; **— eso** therefore, for that reason
porque because
¿por qué? why?
portero gatekeeper
porvenir *m.* future
pos: en — de after, behind, in pursuit of
poseer possess
posible possible
posición *f.* position
positivo, -a positive
precioso, -a precious, beautiful, valuable
preciso, -a precise, necessary
preferir prefer
pregunta question; **hacer -s** ask questions

preguntar ask a question
prenda pledge, pawn; **juego de –s** forfeits
prender arrest, seize
preocupar preoccupy
preparación *f.* preparation
preparar prepare
presencia presence
presentar present; **–se** appear
presidente *m.* president
preso prisoner
presumir presume
pretendiente pretender to the throne, Carlos
pretexto pretext
primavera spring
primer(o), **–a** first
principal important, principal; **piso —** main (first) floor
prisa haste; **de —** fast; **no haberse dado mucha —** not to have hurried much
prisión *f.* prison
probar prove, test, try out, taste
procurar try
prodigioso, –a prodigious, marvelous
producir produce
producto product
produjesen *impf. subj. of* **producir**
produjo *pret. of* **producir**
profesar profess
profesor(**a**) teacher, professor, master, artist, professional
profundísimo, –a very profound, deep
profundo, –a deep; **lo —** the depths
profusión *f.* profusion, abundance
progresista *m.* progressive
prometer promise
prometido betrothed, fiancé
prontito very soon, quickly
pronto soon, quickly; **de —** suddenly
pronunciar pronounce
propiedad *f.* property
propio, –a self, own
proponer propose
proporción *f.* proportion
proporcionar provide, give, proportion
proposición *f.* proposal, proposition
propósito purpose, intention, object
protección *f.* protection
providencial providential
provincia province
provocativo, –a provoking, tempting
proximidad *f.* proximity, nearness
próximo, –a next, near
prueba proof, trial, taste
publicarse be published
público, –a public
pude, pudo *pret. of* **poder**
pudiera, pudieran *impf. subj. of* **poder**
pudiese *impf. subj. of* **poder**
pueblo town
pueda *pres. subj. of* **poder**
puente *m.* bridge
puerta door
puerto port, harbor
pues since, then, well; **— bien** well then
puesto, –a put, placed; **tener puesto** have on
pulso pulse
punto point, moment
puro, –a pure
pusiera *impf. subj. of* **poner**
pusiese *impf. subj. of* **poner**
puso *pret. of* **poner**

Q

que that, which; let, may; than;

who, whom; *conj.* for; **a, para —** in order that
¡qué! what a! how! **¿ —?** what?; **¿a — viene?** What's the reason for?
quedar(se) remain, stay, be; **— en pie** be standing
queja complaint
quejarse (de) complain (about)
querer wish, want, love, like; **— decir** mean
queridísimo, –a very dear
querido, –a dear, beloved
quien who, whom, the one who, he who
quiera, quieras *pres. subj. of* **querer**
quietecito, –a very quiet
quieto, –a quiet
quince fifteen; **— días** two weeks
quisiera *impf. subj. of* **querer** should (would) like
quiso *pret. of* **querer** tried, insisted, wanted, wished
quitar take away, remove; **–se** take off
quizá perhaps

R

ramillete *m.* bouquet
Ramírez family name
ramo bunch of flowers
rápido, –a rapid, swift
raro, –a rare, strange; **rara vez** rarely, seldom
rato while, short time
rayo thunderbolt
razón *f.* reason; **tener —** be right
realidad *f.* reality
realizado, –a realized
rebelión *f.* rebellion
recibir receive
reclinado, –a reclined, reclining, leaning back
recoger pick up, gather, collect
reconocer recognize
reconocimiento recognition, gratitude
recordar recall, remember, remind
recorrer run over, look over, travel
recuerdo recollection, remembrance
Redentor Redeemer
redondo, –a round
reducido, –a reduced
refugiarse take refuge
refugio refuge
régimen *m.* regime, rule, system
regimiento regiment
regular regular, ordinary
reina queen
reinar reign
reino kingdom
reír laugh
relación *f.* relation
relámpago (flash of) lightning
relativamente relatively
religioso, –a religious
remedio remedy; **no tener —** to be no help for
remo oar; **bote de –s** rowboat
Renacimiento Renaissance
renunciar renounce
reñir scold, quarrel
reparar repair, notice, make up for, make amends for
repetir repeat
representar represent
república republic
republicano, –a republican
reservar reserve
resfriado cold
resignación *f.* resignation
resignar resign; **–se** resign oneself

resistencia resistance
resistir resist
resolución *f.* resolution, determination
responder answer, reply, respond
resuelto, –a decided, determined
resultado result
retirado, –a solitary, isolated, retired, remote, distant
retirarse retire
retrato picture
reunido, –a united, gathered
reunión *f.* meeting, reunion
revelar reveal
Revollar family name
revuelta second turn
rezar pray
ría mouth (of a river)
Ricardo Richard
rico, –a rich
ridículo, –a ridiculous
riendo *pres. part. of* **reír**
rígido, –a rigid, stiff
rigor *m.* rigor, sternness
río river
rió *pret. of* **reír**
riqueza wealth
rizo curl
roca rock
rodar roll
rodeado, –a (de) surrounded (by)
rodilla knee; **doblar la —** kneel
Rodrigo Roderick
rogar ask, request; **hacerse de —** like to be coaxed
rojo, –a red
rollo roll
Roma Rome
romanticismo romanticism
romántico, –a romantic
romanza aria, solo
romper break, begin; tear open
ropa clothes
rosa rose
Rosario girl's first name
roso, –a rosy, red
rostro face
rubio, –a blond
ruido noise
ruidoso, –a noisy
ruina ruin

S

saber know (how)
sabiduría wisdom
sabrás *fut. of* **saber**
sabría *cond. of* **saber**
sacar take out, draw out, pull out
sacramento sacrament
sacrificio offering, sacrifice
sagrado, –a sacred, holy
sala living room, hall
saldrán *fut. of* **salir**
salga, salgamos *pres. subj. of* **salir**
salida exit
salir leave, go *or* come out, depart, get rid of
salita little living room, little hall
salón *m.* large living room, large hall
saltar jump, leap, spring
salto jump, leap; **dar –s** take leaps, hop
saludar greet, bow
salvación *f.* salvation
salvar save
San Felipe Saint Philip (name of a church)
Santa Teresa Saint Theresa (1515–82) Spanish mystic writer, Carmelite nun
santificado, –a hallowed
santo, –a saint, saintly, holy
sarcásticamente sarcastically
satisfacción *f.* satisfaction
satisfacer satisfy
satisfecho, –a satisfied
se each other, one another; himself, herself, itself, yourself,

yourselves, themselves; *impersonal* + *3rd sing. verb* one, we, you, they; *passive* **ver–** be seen
sé *imper. of* **ser**; *1st person pres. of* **saber**
sea, seas *pres. subj. of* **ser**
secar dry
secreto, –a secret
seguida: en — at once, immediately
seguido, –a (de) followed (by)
seguir follow, continue
según according to, as, according to what
segundo, –a second
seguro, –a sure, certain, safe, secure
seis six
selección *f.* selection
semejante similar, like, such a
semejar be like
sendero path
sensación *f.* sensation
sensible sensitive
sentado, –a seated, sitting
sentar seat; **–se** sit down
sentido sense
sentimiento sentiment, feeling, sensation
sentir feel, be sorry, regret, sense; **— ganas** desire; **–se** feel (well, ill, etc.), feel oneself
señalado, –a pointed out, marked, named
señalar point out
señor Mr., sir, gentleman
Señor Lord
señora lady, madam, Mrs.
señorita young lady, miss
sepa, sepamos *pres. subj. of* **saber**
separación *f.* separation
separar separate, remove; **–se de** withdraw from; **— la vista** withdraw one's glance
séptimo, –a seventh
sepultar bury
ser be; **no — del gusto** not to be to the liking; *n. m.* being
Serapio man's name
serenar become serene
serenidad *f.* serenity, calmness
sereno, –a serene, calm
serio, –a serious
sermonear lecture, reprimand
servicio service
servilleta napkin
servir (de) serve (as); **–se de** use; **no — para** not to be for
sesenta sixty
severo, –a severe
si if, whether; **— bien** although
sí yes; himself, herself, itself, oneself, themselves; **— que** indeed
siempre always; **para —** forever; **— que** whenever
siga *pres. subj. of* **seguir**
siglo century
siguiente following, next; **al día —** on the next (following) day
siguió, siguieron *pret. of* **seguir**
silencio silence; **guardar —** keep silent
silencioso, –a silent
silla chair
sillita little chair
sillón *m.* arm chair
simpatía sympathy
simpático, –a sympathetic, appealing, nice, likable
sin without; **— que** without
sinceridad *f.* sincerity
sincero, –a sincere
sinfonía symphony
sino but; **— que** but, on the contrary; **no tan sólo . . . —** not only . . . but
siquiera even, at least
sirva *pres. subj. of* **servir**
sirviese *impf. subj. of* **servir**

sitio place, spot
situación *f.* situation
situado, -a situated
sobre on, upon, over, above, about; — **todo** especially; *n. m.* envelope
sociedad *f.* society
sofocación *f.* suffocation, smothering
sol *m.* sun
solamente only
soldado soldier
soledad *f.* solitude
solemne solemn
solemnidad *f.* solemnity, grand ceremony
soler be accustomed to
solicitud *f.* solicitude, diligence
solitario, -a solitary
solo, -a alone, single; **a solas** alone
sólo only; **no tan — . . . sino** not only . . . but
soltar set free, let go, let loose, turn loose
sombra shade, shadow
sombrero hat
Somosierra northeast ridge of Sierra de Guadarrama, in central Spain
sonar ring, sound
sonreír smile
sonriendo *pres. part. of* **sonreír**
sonriente smiling
sonrió *pret. of* **sonreír**
sonrisa smile
soñar dream
soplar blow
soplo gust
soportal *m.* arcade, portico
sorprender surprise
sorpresa surprise
sospecha suspicion
sospechar suspect
sostener carry on, maintain, sustain, hold up, support
Sotolongo place name
su his, her, its, your, their
suave suave, gentle, soft
subir go up, climb, rise
substitución *f.* substitution
substituir substitute
substituto, -a substitute
suceder happen, succeed
suceso event
sucio, -a dirty
suelo floor, ground
suelto, -a free, loose
sueño dream, sleep; **en -s** dreaming
suerte *f.* luck, fate, fortune; **tener —** be lucky
suficiente sufficient
sufrimiento suffering
sufrir suffer, endure
suicidarse commit suicide
sujeto fellow, person, subject
sumergir submerge
supieras *impf. subj. of* **saber**
supieses *impf. subj. of* **saber**
supo, supieron *pret. of* **saber** learned, found out, knew
suponer suppose
supremo, -a supreme
suspirar sigh
susto scare, fright
suyo, -a his, her, its, your, their; of his, etc.; *pron.* **el suyo, la suya** his, hers, its, yours, theirs

T

tabaco tobacco
tabla board
tal such, such a; **— vez** perhaps
talento talent
también also, too
tampoco not . . . either, nor . . . either
tan so, as

tanto, -a so much, as much; so; **— . . . como** both . . . and
tardar delay, be late; **— en** be long in
tarde late; *n. f.* afternoon; **— o temprano** sooner or later
tarjeta card
tartera pastry-baking pan
té *m.* tea
tejado tiled roof
temblar tremble
tembloroso, -a tremulous
temer fear
temor *m.* fear
temperamento temperament
temprano early; **tarde o —** sooner or later
tendencia tendency
tendremos *fut. of* **tener**
tendría, tendrían *cond. of* **tener**
tener have, hold; **— calor** be warm; **— cuidado** be careful; **no — cuidado** not to worry; **— deseos de** desire, be desirous of; **— buena gana de** be very desirous; **— ganas de** feel like, want to; **— frío** be cold; **— hambre** be hungry; **— la bondad de** please; **— lugar** take place; **-la en mejor concepto** not to think better of; **— miedo** be afraid; **no — remedio** be no help for; **— los ojos negros** to have black eyes; **— que** + *inf.* have to; **— que ver con** have to do with; **— razón** be right; **— suerte** be lucky; **— sesenta años** be sixty years old; **— vergüenza** be ashamed; **¿Qué tienes?** What is the matter with you?
tenga *pres. subj. of* **tener**
teniente *m.* lieutenant
tercer(o), -a third
terco, -a stubborn, obstinate, headstrong
Teresa Theresa; **Santa —** (1515–82) Spanish mystic writer, Carmelite nun
terminar end, finish
término term, word
ternura tenderness
terrado terrace
tertulia party, gathering
tertuliano, -a guest (at a party)
ti you
tía aunt
tiempo time, weather; **al poco —** in a short time, in a little while; **al mismo —** *or* **a un —** at once, at the same time; **desde mucho —** for a long time; **hacer buen —** it is good weather; **hacía mucho — que no (tomaba)** he had not been (taking) for a long time
tienda store, shop
tierra earth, land, region; **venir a —** fall to the ground
tigre *m.* tiger
tímidamente timidly
tío uncle
tirar throw, throw away, shoot, draw, pull; **— de** pull out
tocar play, touch, ring, peal
todavía still, yet; **— no** not yet
todo, -a all, every; **ante todo** first of all; **de -s modos** at any rate; **— el mundo** everybody; **sobre —** especially; **-s los (días)** every (day); *adv.* wholly
toma *n.* taking; **¡ — !** why!
tomar take, eat, drink; **— una indigestión** get indigestion
tono tone, manner
tontería foolishness, nonsense, silliness
tonto, -a silly, foolish, stupid

toquen *pres. subj. of* **tocar**
torre *f.* tower
trabajar work
trabajo work, trouble
tradición *f.* tradition
traer bring, wear; **— a la memoria** remind; **— entre manos** have in (on) hand
trágico, -a tragic
traición *f.* act of treason, disloyalty
traidor(a) traitor, betrayer; treacherous
traiga *pres. subj. of* **traer**
traje *m.* suit, costume, clothes
trajera *impf. subj. of* **traer**
trajo *pret. of* **traer**
tranquilidad *f.* tranquillity
tranquilizar calm, tranquilize
tranquilo, -a tranquil, calm, quiet
transparente transparent
traslado transfer
tratar treat; **— de** try; **-se de** be a question of
través: al — through
trece thirteen
treinta thirty
tren *m.* train
trenza braid
tres three
tributo tribute
triste sad
tristeza sadness, grief, sorrow, gloom
triunfar triumph
triunfo triumph
trono throne
tropa troop
tu your
tú you
túnel *m.* tunnel
turbado, -a disturbed
Turingia family name; **Duque de —** Duke of Thuringia, 13th century German, married St. Elizabeth of Hungary
tuviese, tuviesen *impf. subj. of* **tener**
tuvo *pret. of* **tener**
tuyo, -a your, of yours; *pron.* **el tuyo, la tuya** yours

U

u or (*before a word beginning with* **o** *or* **ho**)
último, -a last, latest; **por —** finally
únicamente only, solely, simply
único, -a only
uniforme *m.* uniform
unión *f.* union, marriage
unir unite, join
un(o), -a a, an, one; **-s** some, a few; **unas a otras** one another
usado, -a used
uso use
usted you
utilizar utilize

V

vacaciones *f.* vacation
Valcárcel family name
Valencia city and province of eastern Spain; important harbor on the Mediterranean
valer be worth; **más vale** it is better; **— la pena** be worth while
valiente valiant, brave
valor *m.* value
vals-polca waltz-polka (*dance and music*)
valle *m.* valley
vámonos let's go away, come on
vamos let's go, come now! **— a ver** let's see
vanidad *f.* vanity

vano: en — in vain
vapor *m.* steamship
vara measure of length (about 32 inches)
vario, -a various, several
vaso glass
vasto, -a vast, huge
vaya, vayan *pres. subj. of* **ir; vaya usted con Dios** good-bye; **¡vaya si!** well now!, of course
ve *imper. of* **ir;** *pres. of* **ver**
vea *pres. subj. of* **ver**
vecino, -a neighbor, neighboring
vehemencia vehemence, force
vehemente vehement, vehemently
veía, veían *impf. of* **ver**
veinte twenty
veinticuatro twenty-four
ven *imper. of* **venir;** *pres. of* **ver**
vencer conquer, win, overcome
vender sell
vendré, vendrás, vendrá *fut. of* **venir**
vendrían *cond. of* **venir**
Venecia Venice
venga, vengas *pres. subj. of* **venir**
venir (a) come; **— a tierra** fall to the ground; **¿A qué viene?** What's the reason for . . . ?
ventana window
ventanilla little window
ver see; **a —** let's see; **tener que — con** have to do with; **— en el caso de** be obliged
veras: de — really, truly
verdad *f.* truth; **¿ — ?** Isn't it? Aren't you? etc. Is it true?
verdadero, -a true
verde green
Verdi Italian opera composer of the 19th century
vergüenza shame; **tener —** be ashamed
vestido, -a dressed; *n. m.* dress, clothes
vestir dress; **-se** get dressed, dress oneself, wear; **-se de corto** wear a short (dress); **-se de largo** wear a long (dress)
vete *imper. of* **irse**
vez *f.* time; **a veces** at times, sometimes; **¿alguna — ?** ever?; **cada — más** + *adj.* more and more; **de — en cuando** from time to time; **en — de** instead of; **muchas veces** often; **otra —** again; **rara —** seldom, rarely; **tal —** perhaps; **una —** once; **de una —** once and for all
viajar travel
viaje *m.* trip, journey; **manta de —** traveling blanket, rug
viajero, -a traveler
vibrar vibrate
vicio vice
vida life
viejo, -a old
viento wind
viera *impf. subj. of* **ver**
viernes *m.* Friday
vigoroso, -a vigorous
vino, vinieron *pret. of* **venir**
vino wine
vió, vieron *pret. of* **ver**
violencia violence
violente violent
virgen *f.* virgin
virtud *f.* virtue
virtuoso, -a virtuous
visita visit
visitar visit
vista sight, eyes, view; **separar la —** withdraw one's glance
visto, -a seen
viva *pres. subj. of* **vivir; ¡ — !** long live!
vivamente vividly, quickly

vivir live
vivo, -a alive, lively, vivacious, intense
voluntad *f.* will
volver return, turn; **— a** + *inf.* again; **-se** become
vosotros, -as you
voz *f.* voice
vuelo flight
vuelta turn, return; **de —** on returning; **dar -s** turn, walk back and forth
vuelto, -a returned, turned
vulgar common, ordinary

Y

y and
ya now, already, **— no** no longer; **— que** since
yendo *pres. part. of* **ir**
yo I

Z

zapato shoe